SARAH BERNHARDT

Le rire incassable

ŒUVRES DE FRANÇOISE SAGAN
DANS PRESSES POCKET

FRANÇOISE SAGAN

SARAH BERNHARDT
Le rire incassable

ROBERT LAFFONT

© Éditions Robert Laffont, S.A., Paris, 1987

ISBN 2-266-02984-3

À Jacques Chazot
qui nous présenta.

Françoise Sagan à Sarah Bernhardt

Chère Sarah Bernhardt,

Je crois avoir lu à peu près toutes les biographies, tous les Mémoires, tous les échos, tous les portraits que l'on peut se procurer actuellement et qui ont été faits de vous ou sur vous depuis votre mort. Depuis donc plus de soixante ans. Il y en a eu beaucoup, de tons très différents, mais je n'arrive pas à me faire, à partir d'eux, non pas une idée de vous – celle-là je l'ai – mais de la trajectoire qui ressemblerait un peu à votre existence.

Vous avez eu une existence aussi secrète que tapageuse, ce qui n'est pas peu dire – et ce que j'admire, d'ailleurs – mais grâce à laquelle vos contemporains ont parlé de vous avec la vénération ou l'animosité la plus extrême, c'est-à-dire la plus plate.

Que retirer des ragots de Marie Colombier ou des hyperboles de Reynaldo Hahn? Rien. Rien de très humain et pourtant, vous m'apparaissez singulièrement – à présent que je vous ai un peu côtoyée – comme l'une des plus humaines parmi les femmes célèbres (ou recensées comme telles au cours des vingt siècles de notre planète). L'une des plus libres aussi, et, de très loin, la plus idolâtrée... Pas une femme ne l'a été autant que vous, ni aussi longtemps, ni aussi universellement, ni surtout aussi ouvertement et dans tout l'éclat et toute la gaieté de sa gloire.

Car je vous l'avoue tout de suite (autant qu'on puisse « avouer » un compliment), si c'est vous et votre vie que j'ai choisies pour ce livre, c'est beaucoup pour cela : pour cette gaieté, cette incassable gaieté qui a été la vôtre et que vos détracteurs, tout comme vos admirateurs, vous reconnaissent unanimement. De même que ce ne sont pas uniquement vos vertus ni vos défauts qui m'ont séduite, mais aussi votre chance ; cette chance qui vous a faite douée à la naissance, triomphante à trente ans et comblée ensuite jusqu'à soixante-dix-neuf, jusqu'à la mort. Cette chance qui a su vous éviter les trop habituels boomerangs des jeunesses éclatantes, ces sempiternels revers que sont la vieillesse, la maladie, la pauvreté, l'oubli, la déchéance, et qu'ont subis, inexorablement ou presque, vos semblables – dans tous les siècles et dans tous les pays.

Mais vous, non ! Toute une vie de bravos (et de quels bravos !) Et des bravos huit jours encore avant de mourir !... Quelle amoralité si l'on y pense ! Quel défi à tous les proverbes ! Quelle gifle à toutes les expériences ! Quel enchantement surtout, pour ceux qui n'aiment ni l'idée de revanche, ni l'idée de mérite ni l'idée de punition ! Quelle jubilation pour ceux qui croient possible l'entente d'un être humain avec son destin et la réunion du bonheur avec le goût du bonheur ! Quel soulagement enfin, pour ceux qui ont constaté cent fois avec Madame de Staël que « la gloire était le deuil éclatant du bonheur », mais qui n'ont été profondément touchés ou profondément intéressés que par la démonstration, si rare, du contraire, par les exceptions à cette règle cruelle et sotte qui font de la gloire un simple condiment du bonheur !

Vous en êtes une (une de ces exceptions), une des plus folles, des plus baroques et peut-être des plus intéressantes... Voulez-vous m'aider à le prouver ?

Sarah Bernhardt à Françoise Sagan

Ma chère amie, j'accepte. Non pas que je tienne à rectifier l'image qu'ont de moi vos contemporains ni celle que garderont peut-être encore vos enfants ou vos petits-enfants : c'est l'image de moi-même pendant ma vie qui m'a intéressée. Je laisse l'avenir comme le passé à ces impuissants cérébraux que le XXᵉ siècle semble-t-il, comme le XIXᵉ, engendre par milliers.

Vous avez raison sur ce point : j'ai tout fait pour être célèbre et tout fait pour le rester. J'ai aimé être idolâtrée mais ce n'est pas parce que ma gloire était incassable, que ma gaieté l'était aussi comme vous le dites – du moins le crois-je. Ma gaieté était ailleurs, devant moi, elle précédait ma vie.

Il y a même eu des moments où j'ai bien ri de mes échecs; je ne sais quel insupportable rire me prenait parfois, quelle dérision devant des catastrophes! Mais ce n'était pas volontaire; et je ne tiens à vous parler que de mes décisions, que de mes actions, non de ces pas de danse involontaires et de côté que tout un chacun exécute malgré lui, malgré soi. Cela, ma mémoire n'en est pas plus sûre qu'elle ne l'est d'ailleurs de mes mensonges précis. Évitons donc ces mensonges inconscients, il nous en restera suffisamment de délibérés.

Mais trêve de bavardages! Puisqu'il vous faut ma biographie, commençons! Vous avez lu, j'imagine, mes Mémoires, du moins ceux de mes premières années. Comment les avez-vous trouvés? Édulcorés, peut-être? Pourtant, j'y ai été, finalement, assez consciencieuse et assez exacte. Si, si! Ne souriez pas! J'y ai naturellement caché, ou évité d'y mettre, certaines anecdotes légèrement immorales. Mais quoi? J'étais une jeune fille en bonne santé!... et qui sortait d'un couvent après dix ans de claustration et de fausse piété : ces délivrances-là ne se racontent pas au public.

Non, je n'y changerai pas grand-chose et je crains d'éprouver autant d'ennui à recommencer le récit de mon adolescence que j'en ai éprouvé à la vivre. J'avais pris, bien sûr, quelque plaisir à écrire ces Mémoires autrefois, mais c'était que j'avais alors trente ans et que j'étais encore attendrie par moi-même, moi-même enfant. Cela n'est plus le cas, et je serai donc d'autant plus expéditive.

Ma mère, Julie von Hardt, était lingère de son métier et allemande de naissance, lorsqu'elle fut arrachée à sa mère patrie par un de ces Français qui, faute d'avoir un Napoléon pour leur refaire conquérir l'Europe, avaient décidé de conquérir les Européennes. Ces drôles sévissaient par centaines dans toutes les capitales et manquaient généralement de scrupule : l'un d'eux emmena ma mère jusqu'à Paris où il l'abandonna. Ma mère fit donc la lingère à Paris jusqu'au jour où elle rencontra un étudiant sérieux et aisé, bien de sa personne, un nommé Bernard qui lui fit un enfant – moi en l'occurrence – avant de rejoindre sa ville natale, sa famille et sa carrière. Il tint néanmoins à me reconnaître et s'engagea même à garder pour moi une dot allouable à ma majorité ou à mon mariage.

Un peu déçue par la gent masculine, en proie à des difficultés financières, ma mère ouvrit les yeux et regarda autour d'elle. Elle en abandonna vite la lingerie : la confectionner, même rapidement, pour quelques autres femmes lui apparut bien moins avantageux que de l'enlever, lentement, pour un seul homme.

Elle devint ainsi une demi-mondaine. Elle avait comme handicap, pour ce métier, une taille un peu courte, mais, comme avantage, un cœur qui l'était aussi. Sa carrière, entre cette gêne et cet atout, se développa fort bien, au point qu'elle fit venir d'Allemagne sa sœur Rosine, sa cadette, qui était jeune et charmante et plus gaie qu'elle : sa sœur qui sut l'épauler et la suivre et qui devint « tante Rosine » plus tard, quand je la vis enfin. Car je ne la connus que bien après. Une enfant, même sage (si je l'avais été), était en tant qu'enfant un sérieux obstacle à une carrière de courtisane. Ma mère m'envoya donc à la campagne, chez une nourrice des plus gentilles et des plus

12

aimables, qui me nourrit de lait normand, de beurre normand et d'herbe verte pendant mes cinq premières années. Qu'on ne croie pas que je jette la pierre à ma mère, à cet abandon, qui n'en était pas un au demeurant; elle ne me rejetait pas, elle me rangeait. Elle me mettait de côté – et non à la porte.

La vie n'était pas simple à Paris, en 1850, pour deux femmes étrangères qui devinaient confusément qu'entre le sofa et le caniveau il n'y avait pas beaucoup de marches à descendre. Heureusement, loin de descendre ces marches, elles en gravirent d'autres. Comme toujours, ce fut une contradiction qui assura le succès de leur entreprise. Ces deux jeunes et jolies femmes restèrent assez mesurées dans leurs excès ou assez froides dans leurs ardeurs pour transformer en une maison de passe leur paisible appartement bourgeois.

Quinze ans après ma naissance, ma mère, Julie, vivait avec Monsieur de Lancray, le fils du chirurgien de Napoléon et ma tante Rosine avec le comte de Morny lui-même. Elles abritaient dans leur logis leur mère, une personne acariâtre et mes sœurs, car ma mère avait eu entre-temps deux petites filles qui, ayant eu le bonheur de naître dans un appartement déjà spacieux, n'avaient pas été expédiées en nourrice. Leurs pères, putatifs ou présumés rôdaient toujours un peu dans nos appartements. Car qu'ils soient du passé ou du présent ou des deux, les protecteurs payaient avec discrétion les sommes qu'ils estimaient nécessaires à leur bonne conscience tout autant que celles nécessaires à leur bon plaisir ce qui – pour bien des hommes à l'époque – était strictement similaire.

Parfois l'un d'eux faisait sauter l'une de nous sur ses genoux, soit qu'il se sentît soudain une fibre paternelle après tout impossible à lui dénier, soit qu'en voyant devant lui incarné le passé courageux de ma mère – sa maîtresse – il en éprouvât quelque désir compliqué ou quelque compassion béate à son endroit.

Je ne parle là, bien entendu, que des hommes courtois et normaux que je vis dans le salon de ma mère : je ne citerai que pour mémoire les vieillards libidineux qui tentèrent de marquer nos jeunes innocences. Hélas, mes sœurs, elles, habituées dès leur plus jeune âge à ces attouchements, ne bronchaient plus sous ces mains infâmes quand j'arrivai chez ma mère. Mais pour moi, sortant pure et simple, nette, d'un couvent où l'on m'avait tout appris, sauf le vice, je ne pus me retenir; et quand l'un des protecteurs de ma mère se permit de me prendre la taille dans un couloir, je fis un geste d'une telle violence, lui balafrant le visage, qu'il poussa des hauts cris et me fit punir.

Françoise Sagan à Sarah Bernhardt

Chère Sarah Bernhardt,
Pardon! Je vous ai demandé là une tâche trop ingrate et trop douloureuse. Je ne voulais pas réveiller chez vous, une fois de plus, le cruel souvenir d'une jeune fille en butte à d'obscènes et amoraux personnages. Pardon d'avoir ainsi bouleversé votre mémoire. Je vous tiens quitte de tous ces souvenirs s'ils vous font tant de mal.
Croyez à ma reconnaissance et à mes remords.

Sarah Bernhardt à Françoise Sagan

Ma chère enfant,
Oui, d'accord : j'exagérais. Oui, d'accord, je me suis laissé un peu aller. Oui, je me suis imaginée un instant comme la petite héroïne de Monsieur Victor Hugo ou comme les héroïnes d'Octave Feuillet, dont nous faisions toutes, actrices, courtisanes ou femmes du monde, nos plus grandes délices. Oui, j'ai rêvé sur moi-même agitée et culbutée par de vieux messieurs indignes, dans des recoins bourgeois. Oui, j'ai un peu brodé, c'est vrai. Mais enfin, qu'importe?
Votre ironie là-dessus m'a plutôt choquée. Voulez-

vous que nous arrêtions là, en effet, nos doubles confidences?

Cela me serait désagréable à présent mais tout à fait supportable.

Françoise Sagan à Sarah Bernhardt

Madame,

Je vous demande mille fois pardon – et cette fois-ci sincèrement – pour l'ironie facile que j'ai déployée à votre propos.

Bien sûr, j'ai eu envie de rire en vous imaginant emprisonnée par qui que ce soit, ou même bousculée par qui que ce soit. Je vous imagine dès quatorze ou quinze ans indomptable, surtout par un vieux grigou. Mon ironie a néanmoins été légère, facile et déplorable.

Je vous en demande pardon et vous supplie de continuer.

Vôtre.

Pouvons-nous passer à la suite?

Sarah Bernhardt à Françoise Sagan

La suite? Quelle suite?

Vous voulez que je vous parle de la suite mais nous n'avons même pas fini le commencement. Nous sommes au milieu du commencement. Entre mon arrivée chez ma nourrice et mon retour chez ma mère, il se passa quand même quinze ans. Ce n'est pas rien.

Et, pour en finir avec ces vieillards dont vous parliez, je vous signale qu'ils étaient généralement fort polis. Et que – quand j'eus cessé de me débattre, quand j'eus permis quelques langueurs autour de ma taille à leurs pauvres vieilles mains tavelées ou blanches, pauvres vieilles mains oisives depuis leur naissance – quand je me fus permis à moi quelques distractions et leur eus permis à eux quelques échauffements, je filais, gaie comme un oiseau jusqu'à la pâtisserie ou au magasin de colifichets, dépenser les quelques billets qu'ils m'avaient donnés en cachette pour prix de mon silence.

Et pourtant, cela ne m'a dégoûtée, croyez-le, ni de l'amour, ni des hommes ni même des vieillards. Chaque revers a sa médaille, disait Montesquiou, je crois, ou moi-même. Enfin, une des personnes sages que j'ai pu connaître.

Revenons à mon enfance. Elle fut donc, pendant cinq ans des plus bucoliques. Ma nourrice, qui était une fort bonne personne, m'avait installée dans sa ferme, au bord de la mer, et c'est là sans doute que je pris cette passion pour la Bretagne qui ne m'a pas quittée et m'a même fait acheter Belle-Ile.

La France est pour moi divisée en deux régions : Paris; et le bord de la mer, de la mer du Nord j'entends – tout le reste est un grand terrain vague où l'on se promène parfois en train.

Après ces cinq ans où je fus nourrie d'herbe verte et de lait blanc, plus quelques adages dispensés par ma nourrice, cette dernière se trouva brusquement mutée à Paris. Paris! Paris était pour elle un rêve merveilleux; mais elle ne savait où joindre « ces dames », ma famille, que leur fortune déplaçait d'appartement en appartement, dans un mouvement ascendant mais perpétuel, qui faisait égarer leur dernière adresse.

Ce n'est donc qu'à Paris que ma mère me retrouva, dans une cour d'immeuble où ma nourrice était concierge, fort contente d'elle, tandis que je sanglotais après les herbages bretons entre quatre murs tristes qui suintaient d'ennui et de mélancolie. Ce que voyant, ma mère me prit par le bras et me mena à Long-champ, dans le couvent des dames de Longchamp où elle me laissa pendant dix ans. J'avais espéré confusément rentrer à la maison, mais si j'étais déjà trop petite pour rester chez une nourrice, j'étais aussi déjà trop grande pour suivre une jeune femme en quête d'hommes de son âge.

Je passai donc dix ans chez les dames de Longchamp. J'y découvris la société, celle de mes compagnes, j'y découvris les rapports de force et j'y découvris mon caractère. On apprend tout quand on est seul, sauf ce que l'on vaut vraiment.

J'avais un caractère épouvantable et chacun tout autour de moi se fit un plaisir de me le faire vérifier. J'avais je ne sais quelle violence dans le sang qui transformait mes désirs en obligation, mes regrets en désespoir et mes soucis en cataclysme. Pour un oui, pour un non, je me jetais sur mes compagnes, je les battais, je me battais moi-même, je me roulais par terre, j'étais une furie de la nature.

Au milieu de tout cela, je conçus une passion dévote et forcenée pour sœur Marie-Odile qui était la plus sublime et merveilleuse personne de ce couvent et qui sut calmer mes fureurs, conserver mon respect, et me guider. Elle me prit en main, tenta de diriger cet orage à deux pattes et m'apprit quelques principes élémentaires : dont le principal était de respecter autrui, la liberté d'autrui, ce qui n'était déjà pas si mal.

Je ne me rappelle rien de cette période. Il me semble que j'étais un bateau lancé dans des rapides comme j'en ai vu depuis en Amérique, au Niagara. Il ne se passa pas grand-chose dans ce couvent; j'y appris les quelques éléments indispensables de lecture et de calcul qu'on apprenait alors aux jeunes filles et j'y donnai une fois, devant un évêque ébahi, au pied levé, une représentation où je faisais un ange, l'ange Raphaël, ce qui fit rire en coin mes petites camarades et mes professeurs.

Après quoi, au bout de dix ans qui passèrent à la fois comme un rêve et comme une vie entière, ma mère vint me chercher pour me ramener à la maison. La maison!

Enfin, enfin, j'allais à la maison! Je rentrais à la maison! Et je n'étais pas peu fière d'avoir, à quinze ans, une maison à moi.

Hélas, ma maison ne correspondait pas exactement à ce foyer (avec des cheminées, des parents, des feux de bois et des séances de lecture ou de tricot) que

17

j'avais naïvement rêvé d'après les romans fort sots et fort pieux qu'on me donnait à lire au couvent.

« La maison » était un demi-bordel où se promenaient lentement et languissamment deux femmes fort bien habillées, ma tante et ma mère, où chuchotaient dans un coin quatre ou cinq soubrettes que l'on changeait incessamment tandis que se cachaient dans un autre mes deux sœurs cadettes : Claire, la plus jeune, était exquise. Jeanne, la seconde, fut aussitôt l'objet de ma haine, la malheureuse, parce qu'elle était l'objet des soins de ma mère – dont elle fut le seul et l'unique amour. Ma mère l'aimait, on ne sait pas pourquoi. Elle était plus brusque que moi mais moins douce que ma sœur. Elle était plus intelligente que ma sœur mais moins intelligente que moi. Elle avait moins de charme que ma sœur et moins de charme que moi, d'ailleurs, autant que les gens pouvaient le dire. Elle était molle, horriblement molle, apathique et influençable. Elle nous dénonçait, elle se traînait, et ma mère avait pour elle une passion incompréhensible.

J'avais rêvé, je l'avoue, pendant tous ces mois, toutes ces années loin de ma mère, j'avais rêvé à elle comme à une mère de roman ; et, d'une manière plus instinctive et moins superficielle, j'avais rêvé à elle comme à ma mère, c'est-à-dire la personne qui, au monde, devait m'aimer, la personne dont l'amour m'était promis a priori et pour toujours dès l'instant que j'avais mis les pieds sur la terre.

Hélas, ma mère n'avait pas ce sentiment-là pour moi ni pour ma plus jeune sœur. Elle eût volontiers laissé ses deux filles derrière elle en échange d'une vie complète avec la seconde.

Je fus désespérée, profondément désespérée, d'autant plus profondément que cela se passa lentement et par mille petits signes qui étaient des refus de ma mère de m'embrasser et des élans de sa part vers ma sœur qui se laissait, elle, embrasser sans y prendre le moindre plaisir. Quelques larmes de nostalgie chez ma petite sœur me renseignèrent définitivement. Au reste, nous n'avions aucune chance, moi arrivant et elle ayant été toujours là, de conquérir ou de reconquérir un amour qui n'avait pas besoin d'un autre objet.

Je devins alors cette espèce de furie d'adolescente que j'avais failli être au couvent et qui resurgit chez moi comme un vieux démon. Je ne marchais pas dans les rues, je courais, je volais. Je ne descendais pas les escaliers, je les dégringolais. Je ne mangeais pas, je me goinfrais. Je ne me lavais pas, j'aspergeais les pièces d'eau savonneuse. Je ne parlais pas aux gens, je leur aboyais après ou ne leur répondais pas.

Au milieu de tout cela, circulaient des hommes aux airs affables ou contrariés qui, les malheureux, étaient soumis, sans qu'ils s'en rendissent compte, à un régime aussi sévère, plus sévère même, que celui que leur eût imposé leur propre épouse. Ces hommes, qui venaient pour faire la fête et pour se débaucher, étaient pratiquement obligés, dès le seuil, de mettre des patins pour gagner cette chambre où ils venaient pourtant pour s'ébattre dans un grand désordre charnel. Ils le faisaient tous, je crois, Morny excepté.

C'était une maison extravagante et vilaine, tellement vilaine! Je me rappelle avec horreur ces meubles de pitchpin, ces tapisseries marocaines, ces affreux objets 1800, ni marocains ni Empire, que ma mère avait accumulés comme autant de cadeaux de ses admirateurs passés ou présents et qui composaient le bric-à-brac le plus atrocement laid que l'on puisse rêver.

Dieu sait que j'aime le bric-à-brac, que j'aime les objets, mais j'aime que leur accord soit cocasse ou complètement hétéroclite, je n'aime pas qu'ils soient faussement rangés ensemble comme par une main de douanière. Ma mère avait des mains de douanière, un œil de douanière. Elle nous inspectait sans nous voir; c'était cela : elle nous inspectait, elle ne nous voyait pas.

Je crois que j'aurais sombré dans une fureur perpétuelle et même que je me serais livrée à quelque extravagance – car tout mon sang m'y poussait. Je serais passée la tête la première par une fenêtre, ou je me serais jetée sous une voiture, ou j'aurais tué quelqu'un d'autre que moi-même dans un moment d'agacement – s'il n'y avait eu Madame Girard, la veuve au-dessus, ma « Petite Dame ». Ma « petite dame...! ». Chaque fois que je parle de ma « petite dame », mon cœur se fend, je la cherche de l'œil et m'étonne de ne pas la trouver comme je l'ai pourtant trouvée pendant quarante ans, près de moi, prête à me sourire.

Ma Petite Dame ne jugeait pas de ce qui se passait dans l'appartement du dessous. Elle ne jugeait pas, elle ne médisait pas; elle regrettait simplement, je crois, que des enfants fussent mêlées à cet indécent va-et-vient de gentlemen entre deux femmes coquettes.

Les deux sœurs ne la voyaient pas : elle était pour elles la veuve du dessus, donc une personne ennuyeuse et terne qui, pourtant, de temps en temps, venait quand leur mère souffrait trop de la tête la consoler et s'occuper d'elle. La Petite Dame avait un rôle d'infirmière et quand elle vit arriver dans cet appartement ce cheval sauvage, avec ces grandes jambes, ces grands pieds, ce nez busqué et ces yeux de toutes les couleurs que j'avais alors, quand elle vit ce cheval encenser de la tête sous la colère et piaffer dans l'entrée, elle se prit pour moi d'une affection totale.

Je n'ai jamais vu dans le regard ou dans les gestes de ma Petite Dame la moindre nuance de réprobation, le moindre reproche. Je n'y ai jamais rien vu qu'un souci inlassable et tendre de mon bien-être et de mon bien moral; je n'ai jamais vu qu'accueil chez elle, accueil et affection. Où qu'elle soit – et je ne crois pas au ciel ni à l'enfer –, où qu'elle soit, je sais qu'elle m'attend et que si, par hasard, quelque subit cataclysme ou déclenchement nous fasse nous retrouver en squelette ou à n'importe quel âge, je sais que ma Petite Dame m'ouvrira les bras.

Bref, après avoir tempêté chez elle, je fondis, je tombai à ses pieds, je mis ma tête sur ses genoux et elle me promit in petto, je le crois, de m'aimer toute sa vie. Elle le fit.

C'est chez elle que je me calmais, c'est chez elle que

je me confiais, c'est chez elle que j'usais mes fureurs tandis qu'elle me souriait, me faisait des tisanes ou des compresses. C'est chez elle que j'appris la force démesurée de cette qualité si peu prisée de nos jours – et, je le crois, des vôtres – qui s'appelle tout bêtement la bonté.

J'aurais aimé avoir le quart, le huitième, le douzième de celle qu'elle prodigua toute sa vie et envers tout le monde. Oui, j'aurais aimé en avoir le quart pour les gens que j'ai le plus aimés au monde mais j'ai toujours été trop impertinente pour vraiment user de ma bonté autant que je la ressentais. Les nerfs et la mansuétude ne s'entendent pas.

Il n'empêche, calmée ou pas, supportable ou pas, je détonnais étrangement dans cette maison. Ces fanfreluches, cette tranquillité, ces comédies et ces œillades m'ennuyaient tout autant que les lacets et les ceintures, les robes, dont s'obstinait à m'entourer et à me serrer la taille la mode de l'époque. Inconsciemment, je m'habillais déjà comme allait nous habiller, plus tard, cette petite Chanel aux cheveux courts.

En voici une qui est arrivée trop tard dans ma vie. J'avais déjà ma litière et une jambe de moins quand Paris l'a découverte. C'est bien dommage! Elle eût mieux convenu à mon adolescence fuyarde et désœuvrée qu'à ma décrépitude triomphante et immobilisée. Je devais, de toute façon, ressembler à l'une de ses créatures dès mes seize ans. J'avais ce profil qui fendait l'air de son nez busqué, j'avais l'œil qui faisait le tour de ma pommette, la dent un peu courte, et le corps un peu maigre. J'avais tout ce qui eût pu servir à la lancer et je peux vous assurer que je l'eusse fait volontiers, à l'époque comme maintenant. J'ai toujours aimé les gens qui courent plus vite que les autres et ça a été le seul handicap, finalement, de cette mutilation de ma personne, le seul handicap violent et regrettable qu'elle m'ait procuré : le sentiment de mon impossibilité, ensuite, à dépasser les nouveaux coureurs ou les nouvelles coureuses qui jaillissaient des rues de Paris chaque année et que, jusque-là, je m'étais toujours sentie capable de doubler à mon tour, quels que soient leur âge et leurs capacités et leur rôle dans la société.

J'allais vite. Je suis allée vite toute ma vie, suffisamment vite, peut-être, pour aller trop vite. C'est vrai. Et suffisamment vite aussi pour aller très loin dans le temps, dans l'espace et dans je ne sais quelles zones obscures cachées chez mes admirateurs. Je les ai réveillés souvent, et entraînés derrière moi, parfois, au pas de course, qui est, si on y réfléchit, le seul pas convenable pour nous, pauvres humains qui disposons de si peu de place et de si peu de temps sur cette planète.

Mais je passe! Je passe! Je vous vois déjà l'œil amusé et le sourcil en l'air.

En attendant, à cette époque cernée de velours rouge et de pitchpin et de verroterie, je faisais mauvaise impression. Ces messieurs, les protecteurs, les baladins et les banquiers, parfois les victimes de nos mère et tante, ne s'en offusquaient pas. Certains, même, y prenaient plaisir comme ce vieux grigou lubrique de B. que ma mère supportait toujours dans ses jupes, en souvenir, peut-être, de l'argent qu'il avait eu ou qu'elle lui avait cru avoir.

Il y eut une délibération dans la famille, où je ne fus pas conviée et où on décida d'en agencer une autre où non seulement je serais là, cette fois-ci, mais dont je serais l'objet. Qu'allait-on faire de moi? Question épineuse, c'est le cas de le dire; je n'étais qu'un sac d'épines, un sac d'os. Il n'y avait pas un homme convenable à Paris qui s'agiterait ou ferait le premier pas pour m'avoir dans son lit.

Je le dis tout de suite : je n'ai jamais souffert de cette maigreur dont on m'a si souvent moquée et que la mode jugeait si excessive. J'allais plus vite, grâce à elle, et plus rapidement que mes compagnes, que ce soit sur les planches ou dans des lits. Mais passons!

La galanterie ne s'accordait ni avec mon caractère ni avec mon physique, c'était un fait acquis. Il n'était pas question non plus que je remplisse auprès d'un homme ce rôle si doux, si obscur mais finalement, primordial de la nourrice à demeure. Certaines jeunes filles étaient ainsi affublées de ce rôle et passaient vingt à soixante ans de leur temps et de leur vie à soigner les sanglots et les crises de conscience de vieillards égrotants, comme s'ils eussent été des adolescents.

C'était bien fatigant peut-être, et bien ennuyeux, mais elles se retrouvaient invariablement casées toute leur vie, et invariablement légataires, à la mort de leur poupon chauve et apoplectique.

La patience, là, me manquait trop évidemment.

J'assistai donc ce jour-là, en muette tout d'abord, à ces semi-reproches. Il y avait là – et je revois encore ce petit salon rougeâtre où brûlait un feu dans la cheminée, bien que l'on fût en juillet; et qu'un rayon de soleil perçant les persiennes du boulevard Haussmann vînt frapper l'œil tantôt de ma tante, tantôt du miroir où elle s'admirait; je regardais les ombres diverses, faites par les flammes et par le soleil, de mes seuls prochains; et n'importe qui, n'importe quelle jeune personne aurait dû s'en inquiéter – car il y avait là, après tout, deux femmes écervelées, sauf pour leur bourse, et relativement dépourvues de cœur, un viveur désabusé bien que séduisant qui était Morny, un autre viveur qui manquait de charme et des atouts du viveur et qui était Lancray; plus le sinistre et lubrique B., un autre vieux protégé et protecteur dont je ne me rappelle plus le nom et un individu à la mine chafouine et résolue à la fois, ce qui est plus fréquent qu'on n'imagine et qui était le notaire du Havre. C'est ainsi que je découvris, à quinze ans, que non seulement j'avais un père réel, un père en chair et en os – bien que je ne dusse jamais voir, ni alors ni par la suite, le moindre bout de chair ou le moindre bout d'os du personnage –, un père qui connaissait assez mon existence pour vouloir la mettre à l'abri du besoin.

Il me léguait, par l'entremise de cet homme, que visiblement cette mission exaspérait ou scandalisait, cent mille francs. Ce qui, si on y pense, est assez touchant pour un jeune homme qui n'avait fait, après tout, que rendre des devoirs habituels et prendre un plaisir relativement facile auprès d'une dame dont c'était le métier.

— Cent mille francs! Cent mille francs! s'exclamait le notaire d'une voix brisée.

— Cent mille francs, disait ma mère d'une voix plus sérieuse, et « cent mille francs » répétait Rosine, ma tante, d'une voix que la gaieté altérait.

— Cent mille francs, disait Morny en haussant les épaules, car ce devait être le prix d'un des étalons qu'il entraînait à Longchamp.

— Cent mille francs, disaient en secouant la tête les deux vieillards, à qui, comme à tous les vieillards, la moindre somme faisait l'effet d'un énorme trésor, quand on l'énonçait.

Il n'y avait que moi que cette somme laissât froide autant que déconcertée. Cent mille francs? Que pouvais-je faire avec cent mille francs? me demandais-je, et ma réponse se traduisait par des robes, des voyages, des tissus, des équipages, des fiacres, des bateaux, des bateaux... toujours des bateaux. J'avais déjà, ou encore, le goût de la mer que ce fût en souvenir de ma nourrice ou en prévision de mon imprésario.

Ces doutes et ces hypothèses finirent par lasser tout le monde et l'on but du thé en me jetant des regards navrés, comme à une jument qui n'aurait pas été primée pour la grande vente aux étalons de l'armée. Un animal au rebut. Mon orgueil s'affola une fois de plus et je me dressai sur mes pieds :

— Je ne veux pas de votre argent, monsieur! dis-je au notaire. Je veux rester avec Dieu, devenir religieuse et revenir à mon couvent.

J'aurais proféré une obscénité épouvantable que le silence n'eût pas été plus grand et plus scandalisé. Que ce soit le refus de la dot ou l'aveu de cette religiosité, je l'ignore, mais ce fut un reproche unanime. On échangea des regards confus, ces dames levèrent vers leurs mâles des yeux pleins d'excuses et de confusion.

— Mais enfin, s'écria ma mère, vêtue de noir ce jour-là, en cachant son beau visage dans ses belles mains blanches, mais enfin, comment peux-tu me faire des choses pareilles, comment peux-tu dire de pareilles atrocités, mon enfant? Pense, pense, Sarah, qu'après ta sœur je n'aime que toi!

La cruauté et l'ingénuité de cet aveu, l'élan de sa phrase et la parfaite sincérité qu'elle reflétait, frappèrent, bien entendu, le salon tout entier; et la gêne des aînés n'eut d'égal, que le désespoir des plus jeunes. Ma petite sœur et moi échangeâmes un regard humilié et chagrin et dans un élan de révolte et de passion, de colère, j'allai me jeter dans les bras de ma mère qui me flatta les cheveux d'une main dolente. Elle n'avait pas remarqué la méchanceté de sa phrase et se sentait, je pense, à l'instant même, l'image de la tendresse maternelle.

Morny eut alors un mot vers elle, une phrase que je ne compris pas mais qui sembla la rappeler à une vision plus claire de cette maternité. Je la vis rougir tandis que Rosine détournait la tête. Mais cela n'arrêta point le flot de larmes qui, semblait-il, sourdait de toute ma personne. Il me semblait pleurer des paupières et des cheveux, pleurer des doigts et pleurer du cœur. Il me semblait pleurer de tout mon corps et l'expression « pleurer comme une fontaine » qui m'avait toujours semblé étrange, s'avérait juste. Je n'étais qu'un bloc de larmes; je pleurais sur mes années solitaires, celles passées, celles à venir, je pleurais sur cette Sarah qui aurait pu être tant aimée, qui le méritait tant et qui ne le serait jamais. Et je pleurais sur le fait que ce ne fût pas si grave puisqu'on pouvait l'avouer ainsi devant dix personnes.

Les deux vieillards et le notaire, que cette sortie incongrue avait moins frappés que la mienne et qui trouvaient finalement moins déshonorant qu'on manquât d'instinct maternel que de respect pour l'argent, continuaient à me jeter des regards condescendants et inquiets.

– Je ferai ce que tu veux, va! dis-je à ma mère. Je ferai ce que tu veux...

Et, emportée par mon imagination, j'eus un geste des bras qui signifiait : « Venez! Venez vers moi! Venez les plus affreux vieillards, venez les plus horribles Noirs, venez les plus affreux Indiens, venez les boiteux, les estropiés, les idiots, venez profiter de mon jeune corps et de ma nature profonde, venez! Violez-moi! Abaissez-moi! Jetez-moi au ruisseau pour finir! »

Je n'y croyais pas, bien sûr, et je ne m'imaginais pas plus au ruisseau que dans les bras de quelque calife repoussant. Néanmoins, il devait traîner un peu de mon chagrin, réel celui-là, dans ma voix, puisque Morny, qui avait allumé un cigare d'un air distrait, perplexe et ennuyé, se retourna soudain vers l'assemblée et, prenant son chapeau – comme un homme excédé malgré tout d'avoir assisté à une scène aussi basse et aussi petitement bourgeoise – jeta à la cantonade la phrase qui devait étonner confusément cette cantonade et fixer ma vie entière – il jeta :

– Cette enfant est peut-être douée pour le théâtre? Qu'elle en fasse!

Et il sortit. Il sortit en courant se précipiter dans un autre salon, tenu celui-là sans doute par une autre personne, une autre duchesse, une vraie : une vraie duchesse qui aurait, elle aussi, des problèmes familiaux mais qui, mariée honorablement, aurait au moins la décence de n'en point parler et de n'afficher que des problèmes de courtisane. Le petit Proust, que j'ai rencontré une fois ou deux chez les Gramont, et quelquefois avec mon petit Montesquiou, mon coquin de Montesquiou, ce petit Proust si pâle et si aimable, si délicat le pauvre, raconte cela fort bien, me semble-t-il, dans un de ses livres tarabiscotés et judicieux que je n'ai pas, hélas, eu le temps de finir avant de m'en aller.

Mais je m'embrouille. Pourquoi en suis-je venue à vous parler de Proust? Je me rends compte, en revanche, avec stupéfaction et horreur, que je ne vous

26

ai même pas parlé, pas une fois, de Mademoiselle de Brabender qui, pendant que Madame Girard m'apprenait les élégances du cœur, m'apprenait, elle, les élégances de la personne.

Ma mère qui avait parfois de l'instinct, en tout cas vis-à-vis des humains éloignés, avait découvert cette vieille fille dans notre quartier et lui avait confié la tâche fort rude de m'élever et de me rendre présentable dans le monde ; les religieuses m'ayant formé l'âme et appris à prier, Mademoiselle de Brabender devait me former aux usages et m'apprendre à tenir ma fourchette. (Elle avait élevé une grande-duchesse en Russie.) Elle avait la voix douce mais des moustaches rousses absolument énormes et un nez grotesque. Seulement, elle avait une manière de marcher, de s'exprimer, de saluer, qui imposait la déférence.

Comment ai-je pu ne pas parler d'elle dès le début de cette réunion familiale ? Elle y était, bien sûr. Et elle n'était pas la moindre.

Je dois m'arrêter là, je crois, chère amie. On dit que le cerveau s'altère et se détériore, en même temps que la mémoire, à partir de trente ans jusqu'à la mort. Mais que fait-il entre la mort et l'instant où l'on vient le solliciter à nouveau ? Il y a quand même maintenant plus de soixante ans que je suis sous cette herbe et cette terre du Père-Lachaise. Il n'y a aucune raison que j'y aie fait des progrès, sinon en tranquillité.

Françoise Sagan à Sarah Bernhardt

Chère Sarah Bernhardt,

Je ne sais dans quel livre hindou j'ai lu la théorie selon laquelle, une fois le corps définitivement calmé, comme vous le dites vous-même, l'âme peut enfin s'allonger tranquillement à ses côtés, réfléchir sur la vie qu'elle a passée en sa compagnie et s'en distraire. C'est-à-dire qu'on peut passer autant de vie sous la terre que l'on en a passé dessus. Il vous reste donc plus de vingt ans, je crois, pour ces réflexions et je ne sais comment vous remercier de m'en livrer quelques-unes. Quant à votre mémoire, je la trouve, pour ma part, admirable.

Non seulement votre récit est parfois, mot pour mot, le même que celui de vos Mémoires – entre nous, le plus drôle qui ait jamais été fait à votre sujet –, non seulement votre récit se recoupe entièrement par instants, mais de plus vous y faites des césures et des ajouts qui, personnellement, sont tout ce que je rêvais de savoir. Il y a moult scènes enfantines que vous laissez de côté aujourd'hui, en même temps que votre père, ce père que vous décrivez si tendrement dans vos Mémoires, et qui fut pourtant, d'après vos proches, et certains chercheurs scrupuleux, singulièrement absent de votre existence. Vous y coupez aussi quelques anecdotes et quelques attendrissements indispensables à une jeune mémoire et qui n'ont été repris, par la suite et par vos biographes, que par une complaisance inutile et que, j'en suis sûre, vous n'avez même pas appréciée.

En réalité, vous ne l'ignorez pas, je me répète peut-être, mais le seul livre un petit peu désinvolte et un petit peu froid qui ait été écrit à votre propos, c'est celui que vous avez écrit vous-même. Tout le reste est délire, haineux ou flatteur, au point que toute objectivité à votre sujet en paraît anormale – sinon anormale, du moins forcée –, aussi forcée dans la mesure que dans l'excès. Faire votre biographie n'est pas un mince travail et je suis bien contente que vous m'y aidiez.

Comment avez-vous trouvé Proust ? Comment était-il ? Quelle chance avez-vous eue là ! Il y a tellement de gens dont je rêve, dont j'ai rêvé, que vous avez connus et qui ont été à vos pieds. C'est cela qui est merveilleux, c'est que vous ayez fasciné aussi bien des durs à cuire, des briscards, des anarchistes et des hommes au jugement féroce, comme Jules Renard, et des cœurs en écharpe, des mélancoliques, des languissants, comme Reynaldo Hahn ! Que vous ayez séduit des marins, des brutes épaisses, des criminels et des voleurs (comme celui de ce port d'Amérique dont je retrouverai le nom plus tard), comme vous avez fasciné et quasiment snobé les plus snobs des plus snobs lions de l'époque comme Montesquiou. Vous deviez avoir quelque chose qui... que... quoi, bref... qu'on n'a pas fini de vous envier, à Paris comme à New York, comme à Sydney, comme à Tokyo. Mais passons.

Parlez-moi de cette Mademoiselle de Brabender qui vous a appris les bonnes manières, si cela ne vous ennuie pas, et au passage dites-moi quelque chose sur « votre » Proust, s'il vous plaît!

Sarah Bernhardt à Françoise Sagan

Chère amie,

Proust? Vous voulez que je vous parle de Proust? Qu'à cela ne tienne! Il était si charmant... Quand je l'ai connu, c'était un jeune homme déjà âgé. Il était grand, il était très brun de cheveu, très pâle de peau, il avait les yeux les plus étranges, peut-être, que j'aie vus de mon existence, à part ceux de Loti (car l'œil de Loti!... Enfin...). L'œil de Proust était allongé, ovale et croisé en bout comme le corps d'un poisson. Lisez donc les livres de votre écrivain Colette à ce sujet, elle en parle fort bien. Et dans cet œil brillait une prunelle de chevreuil, d'animal traqué, profonde et humide. Il y affleurait aussi comme une terreur légère et permanente, une modestie outrée que reniait par moments un éclair d'ironie et de fierté, inattendu mais visiblement inexpugnable. Comment vous décrire ce jeune homme, ce vieux jeune homme, j'insiste, qui ne s'intéressa à moi, bizarrement, que par rapport à mon personnage et non à ma personne? Vous me direz que ses mœurs l'en empêchaient, mais les mœurs de qui que ce soit n'ont jamais empêché qui que ce soit de s'éprendre de moi. Dieu merci!... Or, votre Proust ne tomba pas amoureux de moi!... J'en eus même quelque réticence à son sujet car – m'expliqua-t-on – il prétendait dans un de ses premiers livres avoir été déçu par une représentation de *Phèdre*, « ma Phèdre », au Français, lorsqu'il était petit. J'en fus indignée, je ne vous le cache pas : d'abord qu'il prétendît m'avoir vue, lui-même petit, moi, en âge de jouer Phèdre, était déjà fort désagréable. Mais qu'il m'y trouvât mauvaise était le comble! Renseignement pris, il s'agissait de cette pauvre Eugénie Segond Weber, et par la suite (me dit-on aussi), il fit un portrait de moi admirable car admiratif, et admiratif de sang-froid.

Vous voilà contente sur Proust? Ajoutez qu'il était d'une politesse exquise, d'une civilité étonnante qui n'avait rien à voir avec cette « servilité » qu'on lui prête. Il y avait dans cet homme, dans son port de tête, dans son regard, quelque chose qui était l'orgueil et la solitude mêmes, dans le bon sens du terme. J'ai déjà vu cette expression chez quelques grands génies, avant qu'ils ne soient découverts comme tels par le MONDE et ne la perdent. Le succès, souvent, la leur ôte et la remplace par de l'entregent ou une modestie tout aussi hautaine – mais moins plaisante à voir.

Bien. Oublions Proust et revenons à ma chère Mademoiselle de Brabender.

Elle eut la tâche de m'apprendre les bonnes maniè-res et elle y parvint, je crois. Il est connu que je passai ma vie à vociférer, à faire des caprices et des scènes et à me battre avec tout le monde, mais je ne sache pas qu'on ait pu jamais relater, de ma part, la moindre grossièreté, le moindre écart de langage ni même, publiquement, de conduite. On peut faire tout ce qu'on veut, à Paris, ou ailleurs bien sûr, du moment qu'on le fait avec grâce. Ce n'est pas moi qui vous apprendrai ça, ni à vous ni à personne. Il faut être tranchant, c'est tout, ne pas s'excuser et ne pas se plaindre; les remords et les regrets sont des sentiments déjà désa-gréables à ressentir et de plus, désastreux à recon-naître.

Pour en revenir à Mademoiselle de Brabender et à Petite Dame, elles furent dans ma vie deux tendres chenets veillant sur un feu de cheminée, empêchant que les braises n'en jaillissent et n'aillent mettre le feu à mes immeubles et à mon entourage. Elles eurent bien du mal car je fus, parfois, un rude incendie. Elles avaient pour moi des sentiments différents : Mademoiselle de Brabender s'intéressait aussi à mon caractère et à mes idées, telle une fidèle orthodoxe consciente de sa religion, tandis que Petite Dame, elle, n'était qu'une païenne idolâtre, pour qui tout ce que je faisais était bien quoi qu'il arrive. L'une ne voulait que mon bien et l'autre ne voulait que mon bonheur. Mais je crois que toutes les deux m'aimèrent plus que je ne le méritais. Elles eurent pour moi un amour si chaleureux et si enveloppant qu'il m'arrive de pleurer parfois, à mon âge et sous la terre, comme une enfant, à me rappeler leurs simples regards, les moustaches de l'une et les bandeaux de l'autre. Elles auraient été pour moi facilement des martyres, et peut-être, d'ailleurs, le furent-elles souvent; mais ce fut à mon corps défendant, sans que je le sache et sans que je le veuille.

Je trouve encore aujourd'hui, c'est vrai, cruel et indécent qu'on ne m'ait pas enterrée entre les deux, au Père-Lachaise ou ailleurs. Avec les bons sentiments de « petite dame » et les parfaites manières de Mademoiselle de Brabender, nous aurions pu, toutes les trois, nourrir la terre et les insectes; ou aider à faire pousser les malheureux pissenlits parisiens que de ma place, par-dessous, je devine déjà aussi déliquescents, fragiles et immangeables, bref, que le sont les légumes de ce pauvre Gustave Doré.

Je m'aperçois, d'ailleurs, que je parle avec beaucoup de gaieté de ma position actuelle au Père-Lachaise! Quartier que je n'ai pourtant jamais beaucoup aimé. La plaine Monceau, les boulevards furent mes seuls campements un peu durables...

Vous rappelez-vous ce qu'on nous apprend en classe :

Je serai sous la terre et fantôme sans os
Par les ombres myrteux, je prendrai mon repos.

Oh! que tout cela est loin! Mais ne nous égarons pas. J'imagine que certains sujets de plaisanterie dans la société restent immuables et que certains adjectifs ont fait rire aussi grassement les Grecs de l'Antiquité que les paillards du Moyen Age, que les hommes moustachus de mon temps et que ceux que l'on prédisait glabres du vôtre. Le terme « horizontal », par exemple, à propos d'une femme, a dû faire s'esclaffer toutes les générations qui ont suivi les hommes de Néanderthal. Le terme « horizontal » est même devenu parfois un mot à lui tout seul : une « horizontale » ; le terme « horizontal » est même devenu un substantif mais uniquement dans le sexe féminin qui est supposé avoir pour cette position, pour cet état, une tendance que l'on déclare fâcheuse ou, au contraire, exquise, selon le tempérament.

L'homme, en revanche, s'il se livre aux mêmes activités lascives que sa compagne, ne supporte pas cet adjectif en soi. Je n'ai, pour ma part, jamais entendu dire d'un homme, aussi obsédé fût-il par cette tendance, qu'il était un horizontal. Un horizontal n'existe pas. En fait, il y a dans cette imagerie deux personnages : il y a la femme, qui est l'horizontale, et l'homme, qui est le coureur ; c'est-à-dire que l'homme court vers la femme qui l'attend.

Cela correspond à une fausse réalité, du moins considérée comme telle par la population mâle, et qui serait celle selon laquelle l'homme, plus éveillé, plus intelligent et plus actif que la femelle, et ayant conçu le premier l'idée de se mettre debout sur ses pattes arrière, l'homme, cet animal devenu bipède grâce à son cerveau plus aéré, l'homme n'aurait eu d'autre souci, à peine debout donc, que de courir rejoindre celle pour laquelle il était fait et qui, elle, la pauvre, n'avait pas eu encore ce déclic d'intelligence. C'est ainsi que le coureur devint coureur et que la femme resta l'horizontale.

J'imagine que cette théorie simpliste doit vous paraître tout à fait déplacée et, rassurez-vous, elle a toujours été déplacée et m'a toujours été signalée comme déplacée par toutes mes amies, et spécialement par Quiou-Quiou, Robert de Montesquiou, un de mes amis les plus exquis, mais des plus snobs malheureusement, que j'avais l'habitude de persécuter en me livrant devant lui à ces théories fumeuses et absurdes dont il ne supportait pas que je parle. C'est étrange comme les hommes qui ne vous aiment que de loin ne supportent pas qu'on leur parle de près de certaines choses...

Bref, j'ai failli vraiment me brouiller avec Quiou-Quiou, à la fin d'un dîner où, exaspéré peut-être par mes sarcasmes, agacé peut-être par le rire de mes amies femmes, et devenu brusquement le chevalier de la masculinité des hommes à femmes, Quiou-Quiou me prit à partie :

— Avez-vous déjà connu, Sarah, des hommes dont, après une nuit, vous pensiez, en les quittant, avoir dormi avec un « horizontal »? Des hommes sont-ils arrivés si bas, parfois, à vos yeux?

— Je ne sais pas, lui dis-je en riant, mon Quiou-Quiou! Je ne sais pas, je n'ai jamais dormi qu'avec des « missionnaires », si j'y pense.

L'éclat de rire fut général. Quiou-Quiou m'en voulut pendant quinze jours. Les hommes drôles n'aiment pas beaucoup que l'on rie des plaisanteries de quelqu'un d'autre. Les femmes drôles non plus, et les hommes et les femmes ennuyeux, d'une manière tout à fait identique, sont parfois exaspérés qu'il y en ait de drôles à leur table.

Mais quelle importance?

Je sais, je sais que je quitte notre terrain, que je quitte le récit de ma vie et que je me lance dans des digressions sans valeur et sans intérêt et qui sait si je ne vous mens pas à l'instant, qui sait si je n'invente pas cette anecdote avec Quiou-Quiou? Le sais-je moi-même? De toute manière, si je pensais que vous étiez une femme qui veuille de moi la vérité, je m'arrêterais là, je poserais mon stylo et vous dirais adieu. Je suis une femme de théâtre, vous le rappelez-vous? Et même si je ne faisais pas de théâtre, je suis une femme ainsi faite que la vérité, pour moi, réside dans le vraisemblable et en certains cas dans le véritable.

Qui a dit ça? Je ne sais plus. Par moments, je me demande si ce n'est pas moi qui dis toutes ces belles phrases que je vous écris.

Bah! Mais bah! Comme vous le dites, comme le dit votre hindou, il ne reste jamais plus que vingt ans, pour réfléchir sur les soixante ans que j'ai passés.

Pour revenir à ma propre vie, et non plus à ces théories fumeuses, j'eus assez rapidement, comme toute femme de théâtre, comme toute femme non mariée à l'époque, et grâce à ma chère amie Marie Colombier – dont je ne parlerai, je l'ai peut-être dit déjà, dont je ne parlerai que plus tard, si j'ai assez de force et de méchanceté pour le faire –, j'eus assez rapidement à Paris, mais plus tard, une réputation d'horizontale, qui se doubla dans mon cas d'une aura bien plus néfaste et bien plus maudite qui était celle d'une nécrophile.

A l'âge de seize ans, pour des raisons que je vous expliquerai plus tard, j'eus dans ma chambre, ouvert, un cercueil, un ravissant cercueil de satin blanc, objet charmant, bien briqué, propre et dont je changeais le satin tous les deux ans, dès qu'il était jauni. Ce qui arrivait régulièrement au bout de vingt-quatre mois et me ruinait chaque fois; j'ignore pourquoi les tapissiers demandent une fortune pour les capitonner, mais un cercueil, malgré la facilité et la sobriété de ses lignes, coûte deux fois plus cher qu'un canapé entier.

Les raisons qui mirent ce cercueil dans ma chambre, je les dirai plus tard; mais les conséquences de cette disposition furent inconcevables.

Ce cercueil, arrivé dans ma chambre, fut aperçu naturellement par un intime qui n'eut pas la discrétion égale à son intimité, puis des amis, puis des curieux auxquels on en avait parlé, bref, finalement, tout Paris, du moins le Tout-Paris qui s'intéressait à moi, sut que je dormais dans un cercueil, tout au moins le crut car, bien entendu, je dormais de préférence dans mon lit.

Je dormais dans un cercueil, je m'y réfugiais à l'époque – et j'avais seize ans – pour des raisons très différentes au fil des jours, car je l'ai gardé, ce cercueil, toute mon existence.

A seize ans, j'y dormis parce que c'était « mon » cercueil, que c'était le seul objet « à moi » de toute cette maison, que c'était mon refuge et mon abri. Je ne me sentais pas chez moi dans cette chambre où mes sœurs et tout le monde passaient comme dans une gare; je ne me sentais pas chez moi dans ce lit – le mien – que parfois j'avais dû laisser à une amie de passage de ma mère; je ne me sentais chez moi nulle part dans cet appartement que nous allions forcément quitter un jour pour un plus grand ou un plus petit, selon notre fortune. Je ne me sentis chez moi, un beau jour, que dans ce cercueil qui était fait à mes dimensions, qui était confortable, qui me tenait les épaules et les hanches comme on tient un cheval rétif, c'est-à-dire avec souplesse mais solidité.

Bref, ce cercueil eut dans ma prime jeunesse un rôle d'abri que, très curieusement et pour des raisons tout à fait opposées, il garda par la suite.

Plus tard, bien plus tard, il resta un abri contre non point la solitude, mais la compagnie. Ce n'était point le refuge où j'allais retrouver un semblant de maison, un semblant de retraite et de foyer où je me blottissais, c'était au contraire un abri où j'allais, enfin, trouver quelque solitude.

C'était un vrai cercueil, vraiment impossible à partager avec qui que ce soit. Il eût fallu être non seulement acrobate mais parfaitement filiforme, et, même si je l'étais, ce n'était point suffisant, pour y rêver d'autre chose que de sommeil ou de repos. Or, il y avait des journées, ou des soirs, où c'était effectivement mes seuls objectifs réels, objectifs que ne partageait naturellement pas l'homme qui m'accompagnait, et que je ne voulais pas blesser, ce malheureux dont les ardeurs retombaient quand il me voyaient m'allonger délibérément, les cheveux défaits rejetés en arrière et les lèvres fermées, dans ce catafalque citadin et si, je peux dire, apprivoisé.

Très étrangement, les hommes qui m'y abandonnèrent, jurant en leurs moustaches de leur malchance, ne songèrent jamais à discuter la sincérité ou la réalité de ma subite crise mystique en me voyant enjamber ce rebord et m'étendre dans ce satin un peu défraîchi, m'installer les mains sur l'estomac et les yeux clos, le visage fermé par une piété tout à fait anormale ou en tout cas subite, sans que jamais l'un ou l'autre ne me sommât d'arrêter là cette comédie humiliante.

Ce cercueil était devenu assez célèbre ou assez cocassement pervers pour qu'on lui portât un vague respect, respect mêlé d'une vague frayeur et d'une vague antipathie qui rendaient, sans qu'ils s'en rendissent compte, des plus comiques, les ragots de ces journalistes ou de ces cancaniers : « Sarah et son cercueil », disaient-ils, « votre cercueil », « ton cercueil », « mon cercueil », mon cercueil par-ci, mon cercueil par-là... Il semblait à les écouter, ma foi, que chaque Parisien ou chaque membre de cette cohorte du Tout-Paris eût son cercueil à lui – qu'il le promenât toute la journée ou qu'il le laissât chez lui comme moi –, que son cercueil à lui fût plus convenable que le mien. Je suis sûre que la presse parla plus de mon cercueil que d'aucun de mes rôles. Mais après tout, pourquoi pas?

Le malheureux m'a suivie fidèlement toute sa vie – toute ma vie, plus précisément – sauf justement à l'instant où il aurait pu rembourser tous les frais que j'y avais investis. Il mourut avant moi, aussi comique que ça puisse paraître pour un cercueil. Il mourut à force de voyages, de déménagements, de coups de pied au hasard et peut-être de mon poids chaque fois répété. Il s'effondra, le malheureux, peu de temps avant que je ne m'effondre moi-même : je le sus mais ne m'y intéressai pas. Je n'ai jamais beaucoup cru aux symboles, d'abord, et de toute manière il faut être jeune pour s'y intéresser.

Je le fis brûler dans mon jardin. On ne peut offrir ça à personne, c'est un objet indispensable, hors de prix, et qu'on ne peut donner; la vie est cocasse, parfois.

Je sais que vous n'êtes pas contente de ce que je vous

dis, ce n'est pas une biographie. Je pense qu'il me faudrait être plus précise, pour vous donner ce que vous me demandez. Il y a des jours où je ne m'intéresse qu'à des généralités, ou à des détails ou à des mouvements de paresse.

Mais enfin, j'ai bien le temps, vous me l'avez dit. C'est la théorie de votre ami hindou. Il y a soixante ans que je suis là, sous cette herbe; il me reste donc encore vingt ans, si mes calculs sont bons, pour achever de réfléchir sur les quatre-vingts années que j'ai passées au-dessus.

Vingt ans! Ce n'est pas mal! Encore vingt ans, à moins que vous ne m'ayez menti vous aussi...

Je sais, je sais, j'ai perdu le fil de mon existence, je cogne dans les généralités, je vous agace : revenons à nos agneaux, à notre agnelle, la petite Sarah Bernhardt que sa famille voulut dévoyer...

Le conseil lancé par le pauvre Morny excédé avant son départ, recueillit finalement l'unanimité de ce petit groupe familial pour deux raisons : positive d'abord, négative ensuite. La première raison était que ma vocation religieuse semblait, curieusement, une sorte de blasphème, une anomalie abominable à ma mère et à ma sœur. Passer sa vie dans un couvent, pour une femme, leur semblait une sorte de péché et je dois dire à présent que je ne suis pas loin de partager leur avis. Ensuite, cette retraite précoce me verrait dépossédée de ces cent mille francs alloués par mon père, le mystérieux Bernard, que le notaire ne donnerait, disait-il, que pour mon mariage. Et si quitter le monde était un simple péché, y abandonner cent mille francs en était un autre, un carrément mortel, celui-là. Enfin, réfléchit-on à ma place, puisqu'il me fallait trouver un mari pour avoir ces cent mille francs, il y avait plus de chances que je le dénichasse sur une scène de la capitale que dans l'appartement de ma famille. Paris proposait, en effet, aux hommes en quête de jeunes filles et de chair fraîche, quelques gynécées comme l'Opéra, les cabarets, les opérettes et les théâtres – parmi lesquels le Conservatoire, bien sûr, était le plus fameux et le plus distingué. Et dans un de ces modernes sérails, je pourrais peut-être attirer plus aisément l'œil de quelque galant : après tout, cette poitrine plate se verrait moins sous des voiles à la Racine, de même que ces hanches étroites sous des tabliers de soubrette à la Molière. Du moins en jugeaient ainsi ces dames à l'œil mouillé mais au regard de maquignon, qu'étaient ma mère et ma tante.

J'ai l'air dur envers ces femmes et j'ai tort, après tout. Elles avaient, sans répit aucun, travaillé pour arriver à leur situation actuelle – qui était luxueuse ; et il n'avait pas été facile d'obtenir d'un homme qu'il payât non seulement l'heure qu'il passait à les étreindre mais aussi les heures qui s'étaient passées entre ses étreintes, simple extension qui, néanmoins, faisait toute la différence entre une courtisane et une prostituée, une femme et une fille, une habitude et un accès. Dure étape donc, et ma paresse à utiliser mes maigres appas devait leur paraître scandaleuse. Eussé-je été jolie, peut-être cette paresse leur eût-elle semblé de la lenteur, de la prudence, voire de la ruse. Mais mon physique, hélas, ne laissait croire qu'à une regrettable inconscience.

Comme beaucoup de femmes oisives, ma mère et ma tante étaient, devant un nouveau projet, la rapidité incarnée. Une heure après le départ de Morny, un fiacre nous était retenu en même temps que trois places à la Comédie-Française, où j'irais avec ma mère et Mademoiselle de Brabender assister au spectacle du jour qui était *Britannicus*.

C'est ainsi que vêtue bizarrement, mi-femme, mi-enfant, gardée d'un côté par ma ravissante mère – que saluaient beaucoup d'hommes – et de l'autre par Mademoiselle de Brabender dont les moustaches décourageaient les satyres, je montai les marches de la Comédie-Française. Je m'y tapis dans une loge au premier rang, ma mère à ma droite et, derrière, ma gouvernante, dont les genoux pointus à travers le dossier de ma chaise me rassuraient obscurément. La salle était pleine d'hommes et de femmes vêtus de leurs plus beaux atours, les lustres brillaient, les monocles et les faces-à-main scintillaient, et le rouge des fauteuils me semblait cramoisi, tout comme le rideau là-bas, énigmatique.

Enfin, les lustres s'éteignirent, le murmure des voix s'arrêta et le rideau s'ouvrit. Je n'eus pas le temps d'admirer le décor hideux, mélange de stuc et de faux marbre : déjà Britannicus entrait en scène. La pièce commença et je ne bougeai pas d'un millimètre ni d'un cil, aux dires de Mademoiselle de Brabender qui, derrière mon siège, épiait mes réactions. Je restai comme un bloc, me dit-elle ensuite, si immobile qu'elle me crut un instant en catalepsie. Ce n'est qu'à la fin que je retournai vers ma mère et vers elle un visage inondé de larmes – et de larmes silencieuses, pour une fois, de « larmes nouvelles » déclara Mademoiselle de Brabender. Il me faut bien dire que ces larmes n'étaient pas uniquement imputables à la beauté du spectacle, aux vers de Racine ou au jeu des comédiens. Il m'était arrivé autre chose : j'avais eu le sentiment, à peine la scène offerte aux regards, à peine les premiers vers lancés par les comédiens, j'avais eu la certitude absolue que mon destin était là, devant moi, sous mes yeux ; que ce plateau, ces planches allaient être le lieu de mon existence, la place de ma vie – une certitude, une évidence d'autant plus frappantes que je n'y prenais pas grand plaisir. Je ne ressentais ni excitation ni désespoir. Je subissais plutôt cette impression, curieuse à quinze ans, de contempler devant soi son destin posé, scellé et incontournable. Quels charmes, par la suite, ou quelles difficultés ce destin m'imposerait-il, quelles terreurs aurais-je à surmonter pour être un de ces personnages étranges, là-bas dans le lointain, pour entrer à mon tour devant cette foule silencieuse, avide et sûrement féroce, pour la faire taire et l'amuser ou la faire pleurer, quelle horreur éprouverais-je à y vaincre la peur et quel plaisir à y être applaudie, quelle honte, quel succès et quelle aventure y trouverais-je ? Je n'y pensais même pas. J'étais simplement assommée par la certitude presque plate que ma vie, ma vraie vie, était là.

On appelle ça un pressentiment; l'on y croit rarement, et si ce n'était pas moi-même qui l'avais éprouvé, je n'y croirais pas aujourd'hui. Aussi ne vous demanderai-je même pas d'y croire; j'ai raconté assez de sottises et assez de mensonges, tels le berger et le loup de La Fontaine, pour être choquée de ce que l'on ne me croie pas – même quand je dis la vérité, surtout quand je dis la vérité. C'est là le sort réservé aux avoués menteurs : on ne le croit généralement plus que dans leurs mensonges lorsqu'ils mentent.

Ces larmes inquiétèrent mes compagnes. Mademoiselle de Brabender les attribua à ma sensibilité et ma mère à ma sensiblerie. On jouait ensuite *Amphitryon* qui m'intéressait moins, mais j'étais suffisamment secouée par *Britannicus* pour que les quelques malheurs de la pauvre Alcmène m'arrachent de-ci de-là des sanglots nerveux de soulagement, mais si abominables que ma mère, ivre de colère que l'on se fît ainsi remarquer, me tira de ma loge et m'entraîna, plus morte que vive, dans un fiacre, jusqu'à mon lit. J'y fus bordée et les draps remontés jusqu'à mon nez. Je m'y endormis aussitôt, en proie à une étrange béatitude, un grand calme. Je savais désormais ce que j'allais faire de ma vie. Et je ne me voyais pas dans des triomphes, sous des bravos, sous des fleurs. Je n'imaginais rien, en vérité, aucune image ne se glissait sous mes paupières. Simplement, j'avais l'impression d'avoir identifié à l'instant ce qui m'avait tourmentée toute mon adolescence, mais inconsciemment. Et s'il n'y avait pas eu Monsieur de Morny, peut-être n'aurais-je jamais su, étrangement, que c'était le théâtre. Bref, je fis comme tous les gens de talent : je ne m'établis pas un but mais un diagnostic. Je ne décidai pas de devenir comédienne, je découvris que je l'étais. Tous les gens de talent ou de génie vous diront que c'est ainsi que ça se passe.

Françoise Sagan à Sarah Bernhardt

Chère Sarah Bernhardt,

Bien sûr, j'ai été un peu étonnée par votre découverte du théâtre, du moins par le récit que vous en faites. Je m'attendais à l'émerveillement, au grand choc ébloui, et j'ai trouvé tout à fait admirable que vous évitiez ce si beau tremplin pourtant pour une envolée lyrique, et que vous vous borniez à une réalité que vous dites plate. Cela m'a redonné confiance en votre sincérité, si cela était nécessaire. Et finalement, si cela surprend nos lecteurs, ce sera dans le meilleur sens du terme, à mon gré.

Comment était ce Monsieur de Morny? Pardon, d'ailleurs. Je ne devrais pas passer tout le temps à vous couper ni à vous poser des questions annexes. Excusez-moi. En fait : « Et ensuite? » – « Et que fîtes-vous le lendemain? » devraient être mes seules interventions.

Sarah Bernhardt à Françoise Sagan

Le lendemain? Je ne fis rien... Je restai dolente sur mon lit à me laisser envahir par le souvenir de ma soirée au théâtre, à l'embellir et le travestir. Car, sur le coup, comme vous le savez... D'ailleurs, si vous y réfléchissez, si vous pensez aux quelques coups de foudre que, je l'espère pour vous, vous avez eus dans votre existence, quel souvenir en gardez-vous? L'impression d'un soleil, d'un paysage immense, d'une gloire subite, d'un ciel plein d'étoiles, d'une musique céleste ou bruyante? Non. Un coup de foudre, si vous êtes d'accord avec moi, se traduit par une sorte d'apathie, une hypnose gênée, une sorte de calme désolé ou béat, selon que l'on aime ou pas ses propres passions.

Je me rappelle avoir eu le coup de foudre ainsi pour quelques hommes et les avoir quittés après, foudroyés donc, sans leur avoir dit grand-chose, sans avoir apprécié le moins du monde ni leur conversation ni leur charme. Simplement, j'étais rivée à eux par une pression dont j'ignorais les causes et dont je savais juste que j'aurais à traiter avec elle les mois qui suivraient. Cela ne rend pas forcément gai ni emballé.

Mademoiselle de Brabender me ramena à la raison : que je sois douée ou non, en attendant, il me fallait travailler, si je voulais vraiment faire du théâtre. Je n'avais pas lu grande poésie ni grande littérature, ni au couvent ni chez ma mère; il traînait plutôt des romans à l'eau de rose chez l'un comme chez l'autre. La découverte de Racine me parut le comble de l'audace (et Mademoiselle de Brabender, d'ailleurs, se refusa à me laisser étudier *Phèdre*). La malheureuse gouvernante avait un mal fou à appliquer ses pudeurs car, de tous côtés, arrivaient pour moi des livres de Racine, de Corneille, de Molière, etc., auxquels je ne comprenais rien et que je refermais vite pour relire mon petit La Fontaine. J'avais une passion pour La Fontaine et je connaissais toutes ses fables.

Mon parrain, Monsieur de Meydieu, l'érudit, l'insupportable ami de ma mère, avait décidé de m'aider car je passais un examen au Conservatoire, sous l'œil de Monsieur Aubert; un œil bienveillant, Monsieur de Morny était passé par là. Je lui fis une visite. J'allai voir ce charmant vieil homme aux cheveux blancs et aux traits fins, qui me regarda avec bonté et circonspection et se mit à rire quand il comprit que je voulais faire du théâtre en grande partie pour acquérir mon indépendance.

– Eh bien, me dit-il, ne comptez pas là-dessus! Peu de métiers vous laissent aussi dépendante.

Puis il me souhaita bonne chance et je rentrai chez moi préparer cet examen.

Maman ne connaissait personne au théâtre. Monsieur de Meydieu, notre plus vieil ami, voulut me faire travailler Chimène dans *le Cid* qui, au moins, présentait quelques signes de vertu. Mais auparavant, il déclara que je serrais trop les dents, ce qui était vrai, que je n'ouvrais pas assez les « O » et que je ne vibrais pas assez dans les « R ». Aussi me fit-il un petit cahier

que ma pauvre chère Petite Dame garda précieuse-
ment par la suite et qu'elle me remit quelque temps
après. Voici donc le travail de cet odieux ami de ma
mère : tous les matins, pendant une heure, sur le
do,ré,mi, etc., faire l'exercice pour vibrer. Avant le
déjeuner, dire quarante fois : « un très gros rat dans un
très gros trou », afin d'ouvrir les « R ». Avant le dîner,
quarante fois : « combien ces six saucisses-ci ? C'est six
sous ces six saucisses-ci ! Six sous ces six saucisses-
ci ? », etc. Ça, c'était pour apprendre à ne pas siffler les
« S ». Et enfin, le soir, avant de me coucher, dire vingt
fois : « Didon dîna, dit-on, du dos d'un dodu dindon »,
plus vingt fois : « le plus petit papa, petit pipi, petit
popo, petit pupu », pour ouvrir la bouche en carré
pour les « D » et la fermer en cul de poule pour les
« P », était ma tâche.

Monsieur de Meydieu vint donc très sérieusement
confier cette méthode à Mademoiselle de Brabender,
qui voulut aussi sérieusement me la faire exécuter.
Mademoiselle de Brabender était charmante, Dieu sait
que je l'aimais ! Seulement, quand, après m'avoir fait
dire les « T », « D », « D » qui passaient encore, et le
« très gros rat », elle entama les « saucisses-ci », je ne
pus résister au fou rire. Ce fut une cacaphonie de
sifflements dans sa bouche édentée, à faire hurler les
chiens de Paris ; et quand le « Didon dîna... » se mêla de
la partie, accompagné du « plus petit papa », je crus la
raison échappée à la chère femme. Elle avait les yeux
mi-clos, le visage rouge, la moustache hérissée, un air
sentencieux, pressé, et la bouche qui s'élargissait en
coupure de tirelire ou se plissait en petits ronds : ils
ronronnaient, sifflaient, dindonnaient, papotaient, sans
s'arrêter.

Je tombai de rire dans mon fauteuil de paille ; je
m'étranglais, les larmes giclaient de mes cils, et mes
pieds battaient le parquet. Quant à mes bras, lancés de
droite et de gauche, ils cherchaient quelque chose ou
se crispaient sous les spasmes du rire. Je m'inclinais en
avant et me rejetais en arrière, bref je délirais, au point
que ma mère, attirée par ce tapage, entrouvrit la porte

et que Mademoiselle de Brabender essaya de lui expliquer gravement la méthode de Monsieur de Meydieu. Ma mère essaya quelques remontrances que je n'entendis pas; je délirais de rire. Finalement, elle emmena Mademoiselle de Brabender et me laissa seule car je semblais frôler la crise de nerfs.

Restée seule, je tentai de me calmer en chantonnant mes « te-de-de » avec le même rythme que les Pater du couvent que je répétais alors comme pénitence et qui se ressemblaient comme rythme. Je repris enfin conscience, m'inondai le visage d'eau froide et allai rejoindre ma mère qui jouait au whist avec mes maîtres de musique. J'embrassai tendrement Mademoiselle de Brabender toujours indulgente, si indulgente que je me sentis un peu honteuse. Mais le rire! Ah, le rire! Je n'ai jamais pu résister au fou rire. Ce que vous appelez mon « incassable gaieté » est en fait une invincible gaieté. Je n'ai jamais connu quelqu'un, ni quelque événement, ni quelque parole, qui puisse freiner chez moi le déferlement de ces vagues du rire, d'autant plus irrésistible qu'il était inopportun et que j'essayais de l'oublier.

J'ai été sujette plus que personne aux accès de ce fléau impitoyable. Cela commençait toujours par un picotement sur ma lèvre supérieure, qui se propageait en se raidissant dans les joues, remontait piquer mes yeux, puis se formait en une petite boule dans ma gorge qui, en grossissant, obligeait mes côtes à se dilater, tandis que mon sang, lui, remontait précipitamment à contre-courant de mes veines jusqu'à ma tête.

Ah non! Combien de fois ai-je maudit, ensuite, ces quasi-accès de folie qui m'ont fait manquer mille plans, qui m'ont fait ruiner des projets, qui m'ont brouillée avec des personnalités importantes, qui m'ont brouillée – ce qui est plus grave – avec des amis, des amants, qui ont réduit à néant des efforts incessants! Combien de fois ai-je tenté, dès le début de ces attaques, de juguler ce fléau par des pensées graves, par des soucis! Rien, il n'y avait rien à faire; le rire prit possession de mon corps toute ma vie, comme jamais ne le fit le plus habile des amants. Et pourtant... et pourtant cet ennemi de ma vie pratique fut peut-être aussi l'ami le plus chéri. Peut-on en vouloir à un ennemi qui vous laisse aussi délicieusement vide, distraite, heureuse et en paix avec vous-même, insouciante et fataliste, à mille lieues de tout nuage, de toute préoccupation même si elles existent et même si elles sont braquées tels des pistolets. Le rire est l'armure magique contre les boulets, les plaies, les armes du malheur et de votre caractère. Le rire... le rire... mais je ne cesserais pas de parler du rire!

Le dernier éclat que j'eus, personne ne le connaît encore : il faut dire qu'il survint le jour même de ma mort. Ma famille atterrée avait appelé un prêtre, un bon prêtre qui vint avec ses deux enfants de chœur me donner les derniers sacrements. J'étais au fond de mon lit, bien lasse, et ce pauvre homme, d'une voix convaincue, m'exhortait solennellement à me préparer à un monde meilleur. Ses deux enfants de chœur répondaient d'une voix flûtée et sage. Hélas, l'un d'eux était louchon!... mais louchon! à vous donner le vertige! J'essayais désespérément de ne pas le regarder mais lui gardait au contraire son œil droit braqué sévèrement sur mon visage, tandis que son œil gauche, lui, au contraire, vaticinait gaiement ou inspectait minutieusement les recoins de ma chambre. Je ne profitais pas autant que je l'aurais pu des derniers secours de la religion, tant j'étais occupée à me mordre les lèvres.

J'eus bien moins envie de rire le matin de mon examen au Conservatoire. Grâce à Morny, sûrement, j'avais brûlé les étapes et m'y présentais directement un mois après cette décision familiale.

Je me réveillai tremblant comme un animal et, dans une espèce de coma, me laissai laver, peigner et habiller par toutes les femmes de la maison.

Un jeune homme vint, auquel ma mère se plaignit de ma robe qu'elle trouvait trop courte, à quoi il lui répondit, d'un air définitif, qu'elle ne devait pas s'étonner de ces aléas avec des soies trop « cuites ».

L'idée que ma robe eût été quelque part trop « cuite »
me déprima et me donna légèrement envie de rire en
même temps.

Je partis dans un fiacre entre Petite Dame et Mademoiselle de Brabender, dont la protection, flanc à
flanc, tout au long du trajet, me permit de ne pas
sauter par la portière.

Enfin nous arrivâmes dans une grande salle où
attendaient déjà, avec des cris, des rires et des glous-
sements incroyables, une bande de jeunes gens et de
jeunes filles, accompagnés, eux, de leurs parents.

Je n'avais que des gouvernantes et l'une d'elles, il
faut bien l'avouer, avait un drôle d'air. Mademoiselle
de Brabender s'habillait d'une façon qu'elle jugeait à la
fois convenable et exotique, avec des châles des Indes
drapés autour d'elle, et des chapeaux qui encerclaient
sa moustache et ses grands yeux comme des au-
réoles.

Les jeunes candidats la dévisagèrent avec tant de
stupeur et d'ironie que la colère me gagna. Je redou-
blai d'attention à son égard afin qu'elle ne surprît pas
leurs murmures sarcastiques et grossiers. Mais
c'étaient là des gens bruyants, serviles et arrogants à la
fois. Mon indignation fut à son comble quand une
mère gifla sa fille qui, apparemment, n'avait pas assez
bien retenu sa leçon, une pauvre jeune fille pâlotte qui
en avait les larmes aux yeux. Je me levai, prête à
rendre la justice, mais mes deux anges gardiens me
retinrent. Il ne s'agissait pas de faire la fière ici, il
s'agissait de la faire un peu plus loin, sur une scène et
devant des gens dont c'était le métier de l'apprécier. Le
vieux concierge qui s'occupait de cet endroit et qui
avait l'air plus blasé que n'importe quel comédien
chevronné, me demanda ce que je jouais et avec
qui :

— Comment, avec qui ?

— Eh bien oui, vous passez quoi ?

— Mais Chimène, dis-je en redressant la tête d'un air
de pudeur outragée qui me semblait être déjà une
présentation de ce personnage.

– Oui, Chimène! Mais qui va faire le Cid? insista cet individu entêté.

– Mais nous n'avons pas de Cid! s'écrièrent ensemble Mademoiselle de Brabender et Petite Dame, atterrées.

– Nous n'avons pas pensé à amener un Cid! gémirent-elles en me regardant, les yeux épouvantés par leur oubli.

– Je n'ai pas besoin de Cid! déclarai-je avec aplomb; je n'ai pas besoin de Cid puisque j'ai répété sans lui et...

– Mais un de ces jeunes gens se fera un plaisir de le faire, dit le concierge avec entrain, et il indiquait de la main un grand gaillard boutonneux au rire sournois qui me paraissait aussi loin de Rodrigue que le concierge de Don Diègue.

– Je dirai *les Deux Pigeons*, tranchai-je avec décision.

– *Les Deux Pigeons* de La Fontaine? L'homme restait abasourdi. *Les Deux Pigeons? Les Deux Pigeons?*... Bon, eh bien, *les Deux Pigeons*! Et il inscrivit *les Deux Pigeons* en ricanant, avant de disparaître en traînant les pieds et en laissant échapper des grognements désapprobateurs.

Le temps passait sans passer. Les jeunes gens entraient blancs de terreur, ressortaient rouges de confusion, et s'agitaient follement ensuite auprès de leurs proches, expliquant ce qu'ils avaient dit, ce que les autres avaient dit, ce qu'ils avaient été obligés de rectifier dans leur jeu pour plaire à cet aréopage, ce que... ce que... Chacun d'eux se croyait reçu, bien naturellement, et moi, avec mes *Deux Pigeons* dans la tête, et mes deux bonnes cailles de chaque côté, je me sentais de plus en plus affolée. Pas du tout l'aigle s'échappant bien du poulailler, mais plutôt le moineau qu'on va abandonner tout seul.

Et c'est bien ce qui arriva.

On appela mon nom. Mes deux chenets se levèrent et me poussèrent en tremblant bien plus fort que moi. J'eus un sentiment étrange en les quittant; je me rendis compte que je n'avais jamais été seule, que je n'avais jamais marché seule ni agi seule de ma vie. Ma nourrice d'abord et ses cris quand je m'éloignais, le couvent ensuite et toutes ces petites camarades, ou ces sœurs qui ne vous lâchaient pas d'un millimètre, puis la maison enfin, où mes sœurs, les soubrettes, la Petite Dame et Mademoiselle de Brabender ne me laissaient pas un instant pour méditer (encore que ce ne fût pas, sans doute, une grande perte que celle de mes méditations éventuelles).

Je rentrai à tâtons dans une grande salle noire, je distinguai sur des fauteuils le visage blanc de mes juges alignés comme des plants d'oignons et je montai sur l'estrade.

— C'est à vous, mademoiselle! me dit un homme d'une voix de basse, qu'allez-vous nous dire?

— *Les Deux Pigeons*, piaillai-je. Je ne trouve pas d'autre mot tant la voix qui sortit de ma gorge était enrouée et aiguë.

— Comment *les Deux Pigeons*? s'écria une voix de femme que je tentais de distinguer en vain, dans l'obscurité, en dessous.

— Comment *les Deux Pigeons*?... Mais ça va être mortel!

— Commencez, mon petit, commencez! reprit la voix d'homme, bonasse, et je me lançai :

— *Deux pigeons s'aimaient d'amour tendre...*

Et là, je m'arrêtai net, tant l'émotion me glaçait. Ma robe trop « cuite », sans doute, ne me soutenait pas le moins du monde. Je sentais ma taille, mes épaules s'affaisser à l'intérieur, réduites à un tremblement convulsif. Un des juges le vit :

— Voyons, Mademoiselle, dit-il, nous ne sommes pas des ogres! Allez-y, recommencez!

— Ah! mais si elle recommence sans cesse, cela n'en finira plus! redit la voix de femme, plus loin, et je me mis à la haïr tout à coup.

Je m'imaginais à sa place, assise tout tranquillement,

ayant fait carrière et attendant que quelque jeune fille ou quelque jeune homme épouvanté vienne jouer son sort, son ambition, sa vie, son plus cher désir devant elle ; je n'imaginais pas qu'on pût, à cet instant-là, ne pas regarder avec compassion, sinon avec intérêt, le moindre candidat. Et je la méprisai, froidement, une seconde, avant de recommencer mon tremblement continu : mais cette seconde avait suffi à me faire reprendre mon sang-froid. La colère, le mépris, l'indignation m'ont toujours donné une force d'âme et une résistance physique extraordinaires. Je redressai la tête et me lançai :

Deux pigeons s'aimaient d'amour tendre,
L'un d'eux s'ennuyait au logis...

puis j'oubliai un peu mes juges-oignons tant j'aimais ces vers de La Fontaine, leur grâce, leur humour et la tendresse de tout cela.

Je me rendis compte que j'avais fini au silence qui régnait dans la salle et qui me fit jeter vers elle et mes bourreaux un regard incrédule. Ils me regardaient sans rien dire et l'un d'eux me fit signe de descendre.

— Mes compliments ! dit-il.

Il avait une barbe, un air débonnaire. Je reconnus la voix qui m'avait aidée tout à l'heure.

— Mes compliments, mademoiselle, vous avez une fort jolie voix, et de la présence. Voulez-vous aller dans la classe de Monsieur Beauvallet ou de Monsieur Provost ?

— Alors, je suis reçue ?

— Mais oui, mais oui, bien sûr ! dit-il en souriant.

Et sans même le remercier, je partis à grands pas, remontai sur l'estrade, la traversai, ouvris la porte à deux battants et entrai comme une fusée dans cette salle d'attente où j'avais tant souffert. Je me jetai sur mes deux chenets qui étaient encore plus pâles, me sembla-t-il, qu'à mon départ, si c'est possible.

— Reçue ! dis-je, je suis reçue !

J'esquissai une sorte de valse et de mouvements de cotillons mélangés qui faillit faire tomber mes chères compagnes et encore plus désespérer mes jeunes compagnons d'aventure, tout au moins ceux qui n'avaient pas été reçus.

— Partons! dis-je, ne supportant pas la moindre ombre au sentiment de bonheur et d'orgueil qui m'avait envahie tout à l'heure dans cette salle. Partons! Il faut le dire à la famille... Partons! Et, les tirant derrière moi, je bondis vers un fiacre de louage où je m'engouffrai.

Je trépidais, je trépignais, je sautais en l'air, je me rongeais les ongles, je passais la tête par la fenêtre, j'étais dix fois plus énervée et excitée qu'à l'aller; le plaisir m'a toujours plus enthousiasmée et soulevée que l'inquiétude, et les récompenses que les efforts. Et puis je voulais rentrer tout annoncer à la maison. C'est drôle comme les enfants ont besoin d'une maison où rentrer pour annoncer leurs triomphes, ou pour faire punir leurs échecs, d'ailleurs, instinctivement.

Ma maison avait beau être envahie par une série d'hommes changeants et cavaliers, ma maison avait beau être, un peu, « de passe », enfin de passage, disons, c'était mon foyer, et j'y venais rapporter mes lauriers.

Je sautai du fiacre la première, tombai dans l'entrée sur la fille de la concierge qui me félicita, juste le temps de voir la Petite Dame crier à ma mère par la fenêtre de la cuisine, dans la cour de l'immeuble : « Elle est reçue, elle est reçue! »

Je bondis, mais trop tard, elle avait gâché cet effet de surprise dont j'avais rêvé dans le fiacre, tout le long du trajet. Je voulais sonner, je voulais voir ma mère, et ma sœur, et ma tante, s'encadrer, l'air inquiet, dans la porte, je voulais prendre moi-même l'air triste et, quand elles demanderaient : « Alors, ça n'a pas marché? » m'écrier : « Si, si, je suis reçue, je suis reçue! »

Tout cet effet longuement préparé était raté. Je dois ajouter que par la suite ma Petite Dame n'arrêta pas, tout au long de sa vie, de ma vie, de notre vie commune, de me voler ainsi mes chutes dans mes histoires, et mes fins dans mes récits. Il n'y avait pas une histoire drôle ni une péripétie qu'elle ne conclût bien avant moi en cours de route d'un : « Il faut dire qu'il était malade..., il faut ajouter qu'il était le mari de la dame », etc. – précision qui jetait invariablement mon histoire et son intérêt éventuel en l'air. Passons.

Je montai donc quatre à quatre les étages et suppliai ma mère, qui m'embrassait au passage malgré tout, je la suppliai de rentrer dans la maison et de faire semblant de ne rien savoir. Elle accepta, ma tante aussi et mes sœurs.

Pour une fois, elles furent toutes à la hauteur de mon caprice, et, si elles ne le comprirent pas, du moins surent-elles l'admettre. Elles rentrèrent, je resonnai. Ma mère me rouvrit, l'air interrogateur. Je pris l'air triste, elle haussa les sourcils et je hurlai : « Je suis reçue, je suis reçue ! » avant de me jeter à son cou comme je l'avais rêvé. L'étrange est que cela me fit tout autant d'effet que si cela eût été vrai et que si ma mère eût été réellement surprise. Le goût du théâtre était en moi, sans doute depuis plus longtemps que je ne le pensais et sans que je l'eus jamais reconnu. Il ne devait pas me quitter dès ce matin-là, et je dois dire que ce fut le plus charmant compagnon qu'une femme, un peu amusée par l'existence, puisse rêver : pour regarder sa vie et, si besoin est, pour l'accentuer.

Françoise Sagan à Sarah Bernhardt

Chère Madame,

Je m'attendais à bien des surprises de vous, et cette dernière est de taille. Accentuer sa vie ! Que vous ayez, vous, voulu accentuer votre vie, me fait penser à quelqu'un qui mettrait du piment dans son curry. Mais enfin, dites-moi, entre nous, à quoi attribuez-vous ce succès immédiat auprès de ces gens du Conservatoire, quand même relativement blasés ? Vous n'avez pas pu les surprendre avec *les Deux Pigeons*; j'imagine qu'ils en connaissaient la fin; et votre apparence, vous le dites vous-même, n'avait rien d'autre que de pittoresque. Alors, pourquoi ces cyniques craquant devant *les Deux Pigeons*? Monsieur de Morny avait-il une influence assez grande pour cela? Y avez-vous réfléchi, un jour?

Sarah Bernhardt à Françoise Sagan

Eh bien, voilà une question que l'on ne m'a jamais posée de mon vivant. Cela eût paru scandaleux, même, à l'époque. Il eût semblé plus surprenant à mes laudateurs que je n'aie pas été, dès que j'avais ouvert la bouche, nommée sociétaire à part entière du Théâtre-Français. Non, je plaisante! Pourquoi? Pourquoi?... A cause de ma voix, figurez-vous. J'ai une voix admirable, une voix sublime. Pour une fois, les mots « admirable » et « sublime » sont parfaitement à leur place; je dois faire deux octaves : je passe de la plus basse à la plus aiguë sans aucun effort, et je m'en sers. Je m'en suis servie tout de suite, d'instinct, et en glissant de l'une à l'autre, ce que ne faisait personne à l'époque. Une comédienne de théâtre du début de mon temps avait le choix entre deux genres d'émotion : les furieuses et les éplorées. C'est-à-dire que nous devions entrer en scène, nous camper sur nos jambes (que nous avions généralement fortes), et sortir de notre « coffre » (que nous avions préalablement rempli d'air) ou une colère violente et des cris à faire fuir tous les oiseaux – à effrayer même les ouvreuses – ou, au contraire, une sorte de mélopée plaintive et déchirante, de préférence dans les tonalités suraiguës.

Hors de ces extrêmes, pas de salut. Nous devions gronder ou piailler, plaindre ou menacer. Le pauvre Racine qui avait quand même eu d'autres subtilités psychologiques, devait se retourner dans sa tombe. J'avais une belle voix, je le savais. Je l'avais compris en disant mes vers, des vers à des petites camarades.

J'avais vu même sœur Cécile s'arrêter parfois de lire en murmurant ses recueils de prières quand je récitais des vers dans la cour de récréation; j'ai vu son regard, son profil devenir pensif, voire charmé; comme plus tard celui des individus les plus sensibles et les plus variés.

J'ai une voix qui, on l'a asssez dit, caresse, et je crois qu'en effet elle caresse les nerfs. L'oreille est un lieu très sensible et ma voix y faisait l'effet d'une sorte de « pansement » – si ce mot n'est pas trop prosaïque. Quelque chose dans ma voix a toujours, selon mes désirs, apaisé ou troublé, enchanté ou rassuré, calmé ou exaspéré mes auditeurs. La voix humaine peut être une arme absolue, je le dis à qui l'ignorerait encore. J'en avise solennellement les hommes politiques, et les médecins et les avocats, en dehors des comédiens qui en font, eux, un métier : il y a une manière de traiter sa voix et de s'en servir qui peut donner tous les pouvoirs sur un être particulier comme sur une foule. Comment croyez-vous que Danton ait pu tenir en échec, pendant des semaines, les féroces interrogateurs du Comité de la Terreur, sinon par sa voix? (Et ne me demandez pas si j'ai connu Danton, impertinente que vous êtes!)

Oui, la grande nouveauté que j'ai apportée au théâtre, c'est d'introduire, entre le rouge et le noir – les deux tonalités obligatoires de la comédie – introduire toute la palette, tout l'arc-en-ciel des sentiments divers. Ah! Vous ne pouvez pas savoir, vous ne pouvez pas connaître l'ivresse de parler d'une manière monocorde longtemps, très longtemps, d'avoir une foule qui s'énerve, que l'on sent s'énerver, et de lancer au dernier moment un cri, de faire une déchirure à cette monotonie, tout à coup, en y insufflant une intonation, une note de sentiments, et de se retrouver plongé dans la vie, la vraie vie, la vie émotionnelle et théâtrale! On ne peut pas imaginer ce que c'est! Dans le temps que l'on s'accorde avant de s'élancer, j'imagine que cela ressemble à l'impression des gens qui sautent de leurs aéronefs avec des parachutes, qui se laissent tomber en chute libre, très, très longtemps, et ne tirent les cordons ou les manettes de leur nacelle qu'au dernier moment. L'ivresse de cette vertigineuse absence, cette absence de bruit avant le choc, la secousse qui vous remet dans la vie, et qui remet les spectateurs dans la violence. Oui, la scène est un art sublime, incroyable, qu'on ne peut pas connaître si l'on reste à tracer des petits signes cabalistiques avec une plume sur un papier blanc, toute seule dans sa chambrette. Ma pauvre enfant, je vous plains parfois! Vous n'avez jamais eu des phares braqués sur vous, vous ne vous êtes jamais sentie une déesse ou une pauvresse. Vous ne vous êtes jamais sentie haïe ou adorée. Vous n'avez jamais connu que ces petits éclairages dans vos minuscules studios où vous vous entassez à douze pour parler de vos mérites respectifs, dans des émissions telles que celles que j'ai pu voir en quittant ma tombe et en me promenant, comme cela peut m'arriver, dans les rues de Paris. Ces rues de Paris vidées, justement, de leur gaieté, de leur entrain, de leur foule que j'y aie vue, vidées par cette petite chose, cette petite boîte noire nommée télévision, où vous-même et vos contemporains venez ânonner péniblement devant des populations abruties, des textes sans intérêt, même pas préparés, même pas appris, même pas récités. Quelle honte!

Et vos actrices, vos comédiennes, comme vous dites! Enfin! Quel langage parlent-elles? Elles parlent comme ma voisine de table au restaurant, elles parlent comme ma concierge, elles parlent comme la reine de Belgique, elles parlent comme personne et comme tout le monde, mais elles ne parlent jamais comme des femmes de théâtre. Jamais, au grand jamais! C'est une honte! Ah! Croyez-vous qu'une de vos actrices ait pu être idolâtrée, vous plaisantez! On les voit dans vos gazettes faire la cuisine, langer leurs enfants, expliquer comment elles restent jeunes, comment elles s'habillent comme tout le monde, comment elles reçoivent tout le monde.

Croyez-vous que le monde entier eût aimé que je lui ressemble? Croyez-vous que le monde m'eût mise sur un pavois si j'avais été comme le monde était lui-même? Enfin, quelle grotesque ambition que de vouloir ressembler à tout un chacun! Il n'y a donc personne parmi vous qui ne voudrait ressembler à personne? Il n'y a donc personne parmi vous qui veuille se distinguer du flot commun? Il n'y a donc personne parmi vous qui veuille dépasser les autres, qui veuille en être adoré, qui veuille en être loin, et admiré, justement parce qu'il en est loin! Quelle est cette époque où on mélange tout?

Enfin, je vous plains, je vous plains de tout mon cœur.

Françoise Sagan à Sarah Bernhardt

Chère Sarah Bernhardt,
Vous avez parfaitement raison et nous sommes de misérables insectes, fous de bêtise de nous aimer aussi ouvertement les uns les autres. C'est vrai que c'est un spectacle parfois affligeant que tous les miels que nous échangeons. C'est si affligeant que quand, par hasard, quelques-uns de nous ont des sentiments assez violents pour se disputer devant les autres, ils font un triomphe.

Non, vous avez raison, bien sûr! Mais de là à nous le reprocher si hautainement! Oui, la vie est dure! Oui, la télévision est bête, oui! Oui, nous n'avons pas de grandes tragédiennes; la dernière de vos sœurs, de vos filles est morte, il y a quatre ans; elle s'appelait Marie Bell et elle jouait *Phèdre*, elle aussi. Et sur votre dernière photo, vous ressemblez trait pour trait à son visage de sa dernière photo; un œil d'oiseau, un profil néronien, une tête que l'âge a rentrée un peu dans le cou. Cet air de veiller encore à tout. Cet air prêt à me mordre, et à rire. Oui, c'est une étrange photo. Avez-vous connu Marie Bell?

Sarah Bernhardt à Françoise Sagan

Oui, j'ai vu cette petite débuter, en effet!
Elle était dans la classe de Doucet, je crois. Elle
s'entraînait en effet à lire *Phèdre* (en cachette, bien sûr,
car je rôdais dans les couloirs, et personne n'aurait
pensé à réciter *Phèdre* devant moi). Mais je la sentais
prête à le faire un jour ou l'autre.

Oui, cette petite a dû aller loin, et fort et vite, elle
aussi. Mais répondez à ma question : y en a-t-il eu une
autre, depuis? Y en a-t-il eu une qui fût assez folle
pour que sa folie intéresse vos contemporains?

Non, vous n'avez que des femmes de ménage, des
institutrices et des catins à montrer sur la scène. Vous
n'avez pas une vraie femme, avouez-le!

Françoise Sagan à Sarah Bernhardt

Nous n'allons pas nous disputer pour cela! Je vous
trouve dure et injuste. Peut-être avez-vous raison et,
bien sûr, aucune d'elles n'a vécu comme vous avez
vécu. Et du moins beaucoup ont-elles rêvé de le faire,
ce qui n'est déjà pas si mal!

Sarah Bernhardt à Françoise Sagan

Vous trouvez? Moi, je n'ai jamais rêvé d'être quelqu'un d'autre que moi-même. En revanche, j'ai joué
des millions d'autres. Mais, ne parlons plus de cela,
vous seriez dépitée.

Je reviens à mes histoires, puisque vous y tenez; ou
peut-être, me considérez-vous à présent comme trop
dure, trop critique! Pas assez humaine ni démago-
gue?

Françoise Sagan à Sarah Bernhardt

Je vous considère comme la meilleure biographe de vous-même que j'aie connue.

Alors, après votre admission à la Comédie-Française? Qu'avez-vous fait, vous, votre succès et votre admirable voix, par la suite?

Sarah Bernhardt à Françoise Sagan

Je passe sur l'ironie... Je devais après, bien entendu, présenter pour le Grand Concours une tragédie et deux comédies. Je me mis donc au travail. Je travaillai comme une perdue, à deux tâches diverses : la première était d'apprendre les vers, de les comprendre, de les retenir, et la seconde était d'éviter de suivre les conseils de mes professeurs, Messieurs Machin et Machin. L'un me voulait naturelle et l'autre me voulait sophistiquée. L'un et l'autre avaient deux théories tout à fait opposées sur le théâtre qui, en fait, n'étaient que superflues. Au théâtre, on a du talent et on s'en sert, on a du talent et on le gâche, mais quand on n'a pas de talent, on s'en va rejoindre les spectateurs dans leurs fauteuils. Et, à mon époque, c'était vite fait! Les planches étaient un révélateur suffisant. On n'y voyait pas traîner des faux toréros et des faux taureaux. Contrairement aux vôtres où vos arènes sont, semble-t-il, remplies du matin au soir d'individus étranges et indéfinis qui hantent vos coulisses et vos scènes, sans avoir l'ombre d'une voix, d'une position ou d'un maintien. Enfin!

Je travaillais énergiquement la tragédie et la comédie. Je découvris tout Racine, je découvris tout ce que j'aimais en littérature et, comme je n'avais pas beaucoup lu au couvent, je me pris d'une belle passion pour différents écrivains que je n'ai pas encore fini de lire, maintenant que je suis, hélas, séparée d'eux par toute cette terre. J'ai toujours eu une réputation de futilité mais qui ne m'a pas empêchée de lire, et plus que bien des personnes supposées lettrées. J'aime un livre, j'aime le tenir dans ma main; j'aime rêver à ce que je pourrais en faire, j'aime rêver comment je voudrais qu'il finisse et comment j'aimerais que l'héroïne dise ce qu'elle dit au héros, ou ce qu'elle lui cache. En réalité, je peux très bien oublier qui je suis quand je lis; contrairement à certaines de mes consœurs, je ne cherche pas dans un texte, même énorme, une seule réplique pour mes beaux yeux.

Mais je n'en étais pas là. J'en étais même fort loin. J'ai appris l'art théâtral très vite, d'instinct, mais j'ai appris à « jouer » beaucoup plus lentement. Entre plaire au public et plaire à l'auteur, entre répondre au désir des uns et combler le besoin de l'autre, il y a un monde. Je m'y employai sans bien le savoir. J'y étais aidée par mon entourage.

Je vécus les jours suivants sous un climat de félicitations et de compliments qui me grisa; je n'y étais point habituée : j'avais été, jusqu'ici, un fardeau; je devenais un espoir.

On me disait de tous côtés que j'avais eu de la chance, plutôt qu'on me félicitait de mon mérite, et j'avoue que je partageais cet avis. Quand on reçoit quelque chose qu'on n'a pas espéré ni voulu, on parle volontiers de la chance; mais il me semblait quand même que ce n'était pas tout. Il me semblait que, plutôt qu'un hasard souligné par Monsieur de Morny, c'était une coïncidence entre ce hasard et une faculté, jusque-là chez moi inconnue, qui avait provoqué ce succès.

J'était capable de ..., je pouvais..., on me demandait de..., on avait remarqué que...; bref, je comptais pour quelque chose et j'existais aux yeux de quelques personnes – autrement que par des liens familiaux ou une tendresse instinctive.

J'étais capable de tout vivre : j'avais dix-sept ans et je pouvais faire ma vie moi-même. Et, de surcroît, faire ma vie sans avoir recours à un « barbon », à des complaisances ou à des ruses strictement réalistes. Je pourrais peut-être même vivre et gagner ma vie grâce à la fiction, et une fiction qui avait pour elle tous les charmes de la noblesse et du talent.

Vous me direz que j'allais un peu vite et que si j'avais ému ou surpris quelques adultes blasés avec une fable de La Fontaine, cela ne prouvait pas pour autant mes qualités théâtrales... Je vous l'accorde! Mais enfin, j'avais dix-sept ans. Et oui! Et j'étais grisée – d'autant que mes succès ne s'arrêtaient pas là. D'un jour à l'autre je me révélai capable non seulement de faire quelque chose, mais aussi de séduire quelqu'un : un ami de ma famille me demanda en mariage.

C'était un jeune et riche tanneur, homme aimable mais que sa complexion faisait si brun et si noir, si chevelu et si barbu, qu'il me répugnait. Je refusai. Ce qui fit un scandale car mon « barbu si chevelu » était de surcroît richissime; il avait – me signala mon parrain avec sévérité – il avait de grandes espérances... Je lui rétorquai que j'avais, moi, quelques espoirs ce qui représentait, à mes yeux, un plus joli futur.

Mon parrain me rit d'abord au nez et me traita d'irresponsable; il me fit même un portrait du mariage qui ressemblait étonnamment à un traité commercial. Or, bien que fort jeune et fort naïve encore, j'avais quand même quelques aperçus, à présent, de la sensualité. Je m'étais trouvé de nouveaux amis au Conservatoire et... bref, je ne plaisais pas uniquement aux tanneurs : je plaisais aussi à des jeunes gens glabres : et bien que je n'eusse encore cédé à aucun d'entre eux, au sens biblique du terme, j'avais trouvé assez de goût à quelques caresses et quelques baisers pour imaginer ce que pouvait être, dans le même domaine, un dégoût ou une indifférence.

Mon parrain se lança, et nous lança alors ensemble, dans une scène qui me préparait déjà au rôle de Marguerite Gautier. Ma mère – m'expliqua-t-il en geignant – ne disposerait plus tard que d'une faible rente allouée par mon père – lequel serait obligé de l'arrêter fort vite tant sa belle-famille haïssait ma mère. Elle n'aurait plus un centime et ce serait à moi, alors, grâce à mon « homme velu » (qui, non seulement attendait deux millions d'héritage, mais, en plus, en mettait déjà trois cent mille à ma disposition), ce serait à moi de la faire vivre, elle et mes pauvres sœurs.

Malheureusement pour lui, je n'avais pas encore lu *la Dame aux camélias* et j'ignorais toutes les beautés du rôle sinon sa cruelle stupidité. Je m'accrochai à mon dégoût comme on s'accroche rarement à un goût. Je ne m'imaginais pas dans cette forêt de poils – fût-elle argentée.

Mon parrain tonna, implora mon bon sens, qu'il savait pourtant mort-né, implora mon cœur, auquel il ne croyait pas, implora un avenir pour lequel je n'avais, moi, aucun intérêt. Bref, je refusai. Je refusai malgré l'œil doux et suppliant de ma mère, malgré l'atmosphère où je baignais soudain et où je me sentais confusément vénérée comme le veau d'or de la famille, le veau d'or du confort et de la sécurité.

Cela ne changea rien à ma décision. J'allai chez Madame Guérard pour me plaindre et lui faire admettre mon point de vue; mais en fait pour y tomber sur mon soupirant, mon fiancé, mon fourreur qui, en larmes, expliquait ses malheurs sentimentaux à ma Petite Dame. Elle eut la grâce de sortir et de nous laisser en tête à tête. Mon tanneur m'expliqua qu'il m'aimait à la folie, qu'il me donnerait d'ores et déjà tout ce que je voulais, financièrement parlant, et qu'il mourrait si je lui disais non.

Il parlait avec flamme et, entre ses larmes, on voyait moins son pelage. J'avoue que je fus ravie – non de l'argent, ni des promesses – de ce que l'on me parlât enfin comme dans la vraie vie (c'est-à-dire, pour moi, comme dans les romans).

Finalement, bien entendu, je refusai sa main, et il n'en mourut pas, malgré ses promesses. Au contraire il fit fortune; et en vieillissant, sa chevelure et ses poils, sa toison devinrent en effet d'un blanc un peu bleu qui les rendit supportables. Trop tard!...

Mais revenons au théâtre!

Françoise Sagan à Sarah Bernhardt

Chère Sarah Bernhardt,

Avant de revenir au théâtre, sujet plus sérieux, je vous le concède, est-ce que je peux vous poser une question très directe?

Vous savez que votre bonne amie, Marie Colombier, et une triste légende, vous ont attribué un tempérament des plus faibles; ce qui voudrait dire que votre palmarès – qui est assez étonnant, il faut bien le dire, dans son abondance et sa diversité – ce palmarès s'expliquerait par un désintérêt ou un échec sur le plan de l'amour physique. J'imagine que ces plaisirs-là, comme les autres, doivent vous paraître bien superficiels après soixante ans passés au tombeau : mais voulez-vous me donner quelques-unes de vos impressions ou quelques-unes de vos idées là-dessus?

Dieu sait que ce n'est pas une des choses qui me passionnent le plus parmi les gens que je rencontre!... mais il paraît que c'est une base essentielle de notre personnalité : la sexualité... (Parlait-on beaucoup de Freud, déjà, en 1910?) Et parler de la vôtre vous paraît-il indécent ou plutôt susceptible d'enrichir votre portrait? Enfin, celui que j'essaie de faire. Libre à vous de me répondre par un non ou par un oui.

Sarah Bernhardt à Françoise Sagan

Ma chère amie,

Je me promène de temps en temps (je l'ai dit) dans Paris et je vois qu'effectivement les « choses de la chair » – comme nous disions – ont pris sur vos contemporains un ascendant et un empire qu'elles n'avaient pas de notre temps. C'était un moyen d'échange pour les femmes : la chair contre l'argent; un moyen de réflexion aussi pour les romanciers, un plaisir pour les uns, une corvée pour les autres, – un sujet privé en tout cas (et de ce fait moins important, l'écho créant les bruits à Paris).

En tout cas ce n'était pas la matière, le matériau numéro un sur lequel se bâtissait notre personnalité. Non, Dieu merci, ce n'était pas ça! — Ma propre vie serait assez déroutante pour Freud, j'imagine, par exemple. Non! J'ai eu un amant, très jeune, dont je vous dirai le nom tout à l'heure, et j'en eus, ensuite, énormément d'autres. Parce que j'aimais beaucoup ce style de rapports : cela m'amusait, me plaisait infiniment et je trouvais que les hommes étaient plus libres et plus loquaces dans un lit qu'ailleurs; et, ma foi, la fidélité n'était pas mon fort.

Et alors? me direz-vous. Cela signifie-t-il qu'il y ait eu pour cela un échec? C'est comme, tout à l'heure, les horizontales et les coureurs. D'un homme qui court le guilledou, on dit de lui qu'il est un coureur et qu'il aime l'amour tant qu'il ne peut pas s'empêcher de tromper sa femme. D'une femme qui en fait autant, on dit qu'elle est frigide. Allez comprendre!

J'ai pris du plaisir avec plein de beaux hommes, et plein de laids, sans pour cela me sentir le moins du monde en état d'infériorité sur des bourgeoises qui n'en avaient connu qu'un; ni d'ailleurs de supériorité; je n'ai pas trouvé plus d'orgueil à avoir mille amants que je n'en aurais eu à n'en avoir qu'un. En tout cas, ma curiosité, ma fantaisie, mes caprices auront été toujours exaucés, en même temps que mon goût du plaisir. C'est déjà bien.

Que les jugements de Dieu, des hommes et des psychiatres s'accordent pour me déclarer froide, ne me dérange aucunement. De toute manière, actuellement, le petit paquet d'os que je suis devenue évoque n'importe quoi sauf l'amour! Il n'empêche! La chair putrescible qui jadis entoura mes os – ces petits jonchets si propres et si nets aujourd'hui – cette chair putrescible fut adorée... et adora l'être!

Quand même! Quand même! On perd beaucoup en perdant la vie...

Françoise Sagan à Sarah Bernhardt

Je m'en doutais bien : et de l'exactitude de votre dernière phrase, et de ce qui la précède ! Je vous imagine en tout, sauf en femme frustrée...

Sarah Bernhardt à Françoise Sagan

Merci !
Revenons à la Comédie-Française.
J'y entrai par miracle. Vous lirez cette scène dans toute mes biographies, racontée avec pathétique, mais j'y tombai surtout dans l'une des pires colères de mon existence.
Le matin du concours, ma mère fit venir son coiffeur qui me martyrisa les cheveux, qui me les crêpa, qui me les boucla, bref me fit une tête de Gorgone à dix-huit ans : il fallait qu'il soit doué ! Puis on me mit une robe hideuse et l'on m'expédia ainsi fagotée. Je me trouvais laide, je l'étais donc ! Et, me trouvant laide – et l'étant – je me sentis ennuyeuse, ce que je devins dès le début, dans la tragédie.
J'y fis de mon mieux, j'y jouai aussi bien que peut jouer une femme qui se sent laide, et j'y subis un complet échec. Quant à la comédie – un peu plus tard, où j'avais démêlé mes cheveux, pris un air d'amazone plus que de Gorgone, et recouvré un vague aplomb – quant à la comédie, j'y fus deuxième, derrière une jeune fille charmante et belle jouant Célimène avec toute la grâce et la bêtise – qu'elle avait innées – et qui la firent se surpasser dans ce rôle.
Je m'inclinai difficilement, mais je le fis ; car cette charmante personne, qui se nommait Mary Lloyd, alors qu'on l'embrassait et que je me rongeais les ongles, me dit :
– Tu aurais dû gagner, toi ! Tu ne veux pas m'inviter à déjeuner ?
Et je vis dans ses yeux qu'elle n'avait personne à qui dire son succès, ce qui me gonfla le cœur de compas-

sion et y enleva toute trace d'amertume. Mary Lloyd, de ce jour-là, devint pour moi une très bonne amie et le resta.

Je ne serai pas plus longue sur ce concours malgré les péripéties qu'y ont introduites mes biographes. Je ne m'y étendrai pas puisque j'y fus recalée, et que je déteste rabâcher mes échecs.

Disons que je fus furieuse longtemps après contre ma mère et contre le monde entier, sans oublier les coiffeurs, bien entendu!

Néanmoins j'entrai à la Comédie-Française par une porte dérobée – à je ne sais qui – mais dérobée je sais par qui. Par mon professeur Camille Doucet qui avait tellement intercédé, tellement parlé de moi, qu'il avait fini par me donner une chance au Français. A ma plus grande surprise : car, après ce déjeuner infernal où j'avais dû subir les regards – compatissants des uns et railleurs des autres – tandis que Mary Lloyd parlait gracieusement avec tout le monde, après ce déjeuner j'étais allée m'étendre dans ma chambre, les yeux encore gonflés de larmes et rêvant de mourir (le désir de mourir est un des désirs les moins exaucés qui soient sur cette terre, ou plutôt il ne l'est qu'une fois... ce qui est une chance).

Or, à mon réveil je trouvai un mot de ma Petite Dame sur ma table de nuit : le duc de Morny m'avertissait que j'étais engagée à la Comédie-Française. Je me pinçai pour m'assurer que c'était vrai, d'abord... Puis je regardai dehors : le ciel était noir. Noir mais pour moi étoilé...

Je fis alors toutes les folies qu'on peut faire à l'âge que j'avais. Je sautai sur mon lit, je le démolis, j'avalai trois chocolats à la file, je cassai le mobilier, je fis un discours à la Sainte Vierge, je lui baisai les pieds, je sautai sur mon édredon, bref je fis la niaise le soir après avoir fait la stupide le matin. Mais qu'importait! J'étais reçue à la Comédie-Française, ma vie commençait...

Le jour suivant, je dus aller chercher mon engagement à la Comédie et le ramener à ma mère afin qu'elle le signât. Je crois que ce fut la seule fois où ma mère oublia que sa réussite sociale n'était pas forcément un signe d'honorabilité aux yeux du monde. On m'envoya à la Comédie habillée d'une robe de soie extravagante, et dans l'équipage de ma tante Rosine : une superbe calèche et de superbes chevaux, plus que déplacés à mon âge... J'y fis un grand effet, mais pas celui que l'on voulait, pas du tout un effet honorable, en tout cas. Et il fallut que Monsieur Doucet qui passait par là expliquât au premier tragédien, nommé Beauvallon, que cet équipage appartenait à ma tante.

– J'aime mieux ça! dit-il avec grossièreté, et je remontai dans la voiture qui avait révolutionné le théâtre avec autant de discrétion que j'avais mis de forfanterie à en descendre.

A la maison, maman signa sans rien lire l'engagement que je lui remis. Elle s'en moquait. Mais je résolus d'être quelqu'un « quand même ».

Quelques jours après, ma tante donna un grand dîner chez elle. Un fort grand dîner. Il y avait là Morny, bien entendu, Camille Doucet, le ministre des Beaux-Arts, Monsieur de Walewzski, Rossini et ma mère, Mademoiselle de Brabender et moi-même.

Il vint beaucoup de monde après ce dîner ; des gens à la mode comme des gens de talent comme des viveurs. J'étais fort élégamment habillée, très décolletée et j'en étais d'ailleurs assez gênée ; d'autant que chacun s'empressa autour de moi lorsque Rossini me demanda de lire des vers, pris d'une folie subite.

Enchantée, je me lançai sur la scène, près du piano, m'y accoudai et, d'une voix langoureuse, récitai l'*Âme du crépuscule* de Casimir Delavigne. On m'applaudit à tout rompre.

– Vous devriez dire cela sur de la musique, dit Rossini qui avait probablement bu, quand même, un verre de trop.

L'assistance poussa de grands cris et Walewzski dit à Rossini :

– Mademoiselle va recommencer, et vous allez improviser, mon Cher Maître!

Le « Cher Maître » se mit à pianoter gaiement derrière moi, je re-récitai mes vers et là, ce fut littéralement du délire.

Des larmes d'enthousiasme à mon propre égard coulaient de mes paupières; j'avais la tête en arrière, l'air pâmé, et même ma mère semblait fière de moi, ce qui était fort rare. Elle me le dit d'ailleurs :

– C'est la première fois que tu m'émeus réellement! – phrase plus exacte que maternelle (ajoutons qu'elle aimait la musique et que l'improvisation de Rossini l'avait sûrement émue plus que ma prestation).

Françoise Sagan à Sarah Bernhardt

Chère Sarah Bernhardt,

Effectivement, vous aviez déjà écrit, dans vos Mémoires – que vous appelez vous-même *Ma double vie* – ce que vous venez (très exactement) de me dire :

« Je rentrai à la maison tout autre; je restai longtemps assise sur mon lit de jeune fille. Je ne connaissais la vie qu'à travers le travail, la famille... L'hypocrisie des uns, la fatuité des autres m'avaient frappée. » (Je continue de lire ce que vous avez écrit.) « Je me demandai avec anxiété ce que je ferais, moi, si timide et si franche... », etc [1].

Est-ce que je dois vraiment prendre ce petit passage au sérieux, puisque vous le répétez vous-même ou est-ce que vous avez copié ce que vous aviez écrit vous-même autrefois?

Entre nous, ne s'est-il rien passé ce soir-là entre vous et Keratry? Que veut dire ce « je rentrai à la maison tout autre »? Et ce « moi, si timide et si franche »?

« Timide », vous? Voyons! Vous vous disputez avec tout le monde! Vous arrachez les cheveux des uns, vous vous battez avec les autres! Voyons! « Timide »,

---

1. Sarah Bernhardt, *Ma double vie*, Ed. des Femmes.

vous? Allons! Et pourquoi répétez-vous ce petit mor-
ceau de bravoure, mot pour mot, cette « bluette »? Que
s'est-il passé entre vous et Keratry? Si ce n'est pas trop
indiscret!... bien sûr...

Sarah Bernhardt à Françoise Sagan

Savez-vous, chère amie, que, par moments, vous
m'insupportez? Soit parce que vous vous trompez, soit
parce que vous recherchez la vérité? Quelle enquête!
Oui, oui, effectivement, j'ai été ce soir-là la maîtresse
de Keratry! Et dans ce boudoir! Ma famille est repartie
dans un fiacre différent. Et alors! Que voulez-vous que
j'écrive? Voulez-vous que je hurle : « Je rentrai à la
maison tout autre parce que je n'étais plus une jeune
fille... que mon lit ne m'allait plus... que je me trouvais
délurée et contente de l'être...? » Est-ce que l'on écrit
des choses pareilles? Que voulez-vous de moi, après
tout? Une confession? Ou un récit?

Françoise Sagan à Sarah Bernhardt

Je ne voulais rien de vous, sinon un récit un peu
exact. Or, une confession n'est pas un récit exact; une
confession est un récit où l'on pleurniche. Je ne vous
demande pas de pleurnicher, je vous demande de me
dire un peu la vérité, par moments. Cela vous est-il si
insupportable de raconter que vous avez – un soir de
fête où vous aviez chanté du Rossini et récité du
Casimir « je-ne-sais-quoi » – que vous avez cédé à un
beau hussard qui vous faisait la cour? Pourquoi cela
serait-il infamant? Pourquoi le dissimuler ou surtout le
transformer? Ne pourrait-il y avoir un peu de confiance entre vous et moi?... Et les lecteurs qui suivront
éventuellement cette correspondance?

Oui, d'accord, vous avez raison!

Je me suis laissé emballer une fois de plus, dans mon récit, par son côté virginal... mais vous m'avouerez que ce sont les dernières fois où j'aurai l'occasion de l'utiliser...

Bien! Je ne suis plus virginale – ni même vierge. Je suis devenue la maîtresse d'un homme, d'un jeune homme qui me plaît infiniment et qui, contrairement à ce que diront plus tard les biographes, ne me laisse pas du tout indifférente.

Keratry était un jeune homme évolué; il avait eu beaucoup de maîtresses avant moi. Le fait d'avoir une jeune fille dans son lit le rendit capable de mille délicatesses, de mille tendresses qui suffirent à me faire aimer l'amour dès ce soir-là – pas complètement, certes, mais qui me mirent sur le chemin du plaisir.

Je retrouvai Keratry plus tard, dans la vie, mais je crois que j'aurais pu en tomber amoureuse ce soir-là si je n'avais été déjà amoureuse du théâtre. Mais je le sais : Keratry fut pour moi un événement heureux, une chance inestimable. Eh oui, vraiment, j'aurais pu tomber amoureuse de lui si je n'avais été convoquée dès le lendemain pour la répétition d'*Iphigénie*. C'était la première fois que j'allais jouer sur une scène, devant un public.

Entre cette première nuit et ce premier rendez-vous, entre ce premier homme et ce premier public, je ne dormis pas de la nuit, et j'arrivai une heure en avance à la Comédie-Française.

Davède, le régisseur, m'entraîna vers la scène pour me la montrer. La pénombre mystérieuse, les décors droits en remparts, la nudité du plancher, la quantité innombrable de cordes et de poids, de frises, de herses suspendues au-dessus de ma tête, le gouffre de la salle complètement noire, le silence troublé par le craquement du plancher, le froid de cave, tout cela m'effraya. Il ne me semblait pas rentrer chez des artistes, chez des vivants qui provoquaient tous les soirs des sanglots, des rires et des bravos, mais bien plutôt me retrouver au milieu de gloires mortes, de fantômes ironiques nés de mes espérances puériles...

Dieu merci, les artistes arrivèrent peu à peu. Grognons, mal réveillés, ils me jetèrent à peine un regard et commencèrent à répéter leurs scènes sans se soucier de moi. J'entendis des gros mots lancés par-ci, par-là, qui m'étonnèrent (chez ma mère on était aussi timoré dans le langage que libre dans les mœurs. Quant au couvent, bien sûr, il n'est pas utile de dire que je n'y avais jamais entendu un seul mot un peu cru). Bref, j'appris plus d'argot que de Racine dans ce théâtre. Ce premier jour, déjà troublée, je vis en plus arriver la costumière qui voulait, elle, m'essayer une robe tout à fait hideuse pour tout arranger! Je fis une telle histoire que cette femme, excédée, me conseilla de me la payer moi-même! Comme si elle m'eût proposé le naufrage :

– Eh bien, je me la paierai! dis-je avec morgue mais en rougissant.

Rentrée chez ma mère, je lui fis un récit si pitoyable qu'elle alla illico m'acheter un voile de barège blanc : il tombait avec de beaux plis. Et une couronne de roses de haies, en même temps que des cothurnes chez un bon cordonnier achevèrent de me transformer. Je me sentais superbe quoique à moitié morte de peur en arrivant sur mes premières planches. C'était le 1er septembre 1862, c'était le jour de mes débuts.

J'avais passé l'après-midi rue Duphot, devant les affiches des théâtres, les yeux braqués sur l'affiche de la Comédie : « Débuts de Mademoiselle Sarah Bernhardt ». Et c'est les genoux fléchissants que je rentrai enfin au Théâtre-Français, à 5 heures.

Je mis un temps infini à m'habiller; je me trouvais mal, ou je me trouvais bien. La Petite Dame me trouvait très pâle, Mademoiselle de Brabender me trouvait très rouge : mais quand l'avertisseur cria qu'on commençait, une eau tiède et glacée – si cela est possible – me couvrit de la tête aux pieds. Je claquais des dents en arrivant en scène.

On leva le rideau. Je le regardais monter vers les cintres et la nuit. Je ne pouvais plus bouger, j'étais hypnotisée, les yeux en l'air : ce rideau qui se levait lentement, solennellement, me semblait un voile proprement déchiré sur mon avenir. J'étais saisie d'un même effrayant vertige en le voyant devant moi s'élever, disparaître, comme on voit fuir la réalité, sans doute, avant les crises d'épilepsie et comme je voyais fuir ma vie : ma vie était réellement ce décor insensé et romain, ces lumières factices, ces gens grimés. Ma vie était *là!* Ma vie naturelle, normale, instinctive et animale était dans ces hardes et dans ces contre-plaqués. C'est là qu'elle se déroulerait. Le sang me bourdonnait aux oreilles, je n'entendais plus rien d'autre que lui. Il fallut que Doucet me pousse pour que j'entre en scène, cherchant un appui des yeux, de la main. Je vis Agamemnon, et je me précipitai vers Agamemnon! Dès cet instant, je ne voulus plus le quitter : il me fallait quelqu'un à qui me cramponner. L'acteur « Agamemnon », épouvanté et furieux, s'enfuit aussitôt – comme d'ailleurs son rôle l'exigeait. Puis je vis entrer ma mère Jocaste, et je me jetai sur elle. Elle aussi parvint à fuir cette débutante affolée mais je la suivis, je sortis de scène et montai quatre à quatre dans ma loge. Et l'on me croira si l'on veut : je commençai à me déshabiller! Petite Dame entra alors et me demanda si j'étais devenue folle : je n'avais joué que le premier acte et il en restait quatre!

Je sentis alors tout le danger si je me laissais aller à mes nerfs. Je fis appel à ma volonté et je me donnai l'ordre de me dompter, de m'assagir. Et je ne sais comment je domptai cet animal affolé en moi, mais j'y parvins. Cela dit, je fus parfaitement insignifiante, calme comme distraite, dans ce rôle.

Sarcey, dans son feuilleton, ne me le fit pas dire : « Mademoiselle Bernhardt, qui débutait hier dans *Iphigénie*, est une grande et jolie jeune personne, d'une taille élancée, d'une physionomie fort agréable, dont le visage, surtout, est remarquablement beau. Elle se tient bien et prononce avec une netteté parfaite. C'est tout ce que l'on peut dire en ce moment. »

Effectivement, il n'y avait rien d'autre à dire. Je sentis qu'il avait raison et ne me révoltai même pas contre lui. Ni lors de mon second début, qui eut lieu dans *Valérie*, et où je remportai un tout petit succès néanmoins.

Quant à mon troisième début à la Comédie, ce fut dans *les Femmes savantes*. Le même Sarcey eut les phrases suivantes : « Mademoiselle Bernhardt qui remplissait le rôle d'Henriette a été aussi jolie et insignifiante que précédemment. Les comédiens qui l'entouraient ne faisaient pas beaucoup mieux qu'elle et pourtant ils ont une plus grande habitude des planches, ils sont aujourd'hui ce que pourra être Mademoiselle Bernhardt dans vingt ans si elle se maintient à la Comédie-Française » (Sarcey était plus juge que prophète) mais en effet je ne m'y maintins pas. Non pas par sa faute, mais pour rien, pour une bêtise. Une de ces bêtises qui peuvent décider une fois par hasard de la vie des gens mais qui ont trop souvent décidé de la mienne ; surtout quand les choses ne vont pas bien et que le hasard vient entériner mon exaspération.

J'étais entrée à la Comédie, je le dis bien, pour y rester toujours : j'avais entendu mon parrain expliquer les étapes de ma carrière : « La petite touchera tant les cinq premières années, tant après, et enfin au bout de trente ans, elle aura la pension de sociétaire, etc. »

Mon destin me semblait donc tout tracé ; enfin, semblait tel à ma famille. Je me doutais un peu, personnellement, que ce ne serait pas si simple et qu'un contretemps allait probablement survenir. Il n'était pas possible, ni même convenable, à mon sens, que je suive une ligne aussi fidèlement tracée, et aussi fidèlement ennuyeuse. Cela se passa le jour de l'anniversaire de Molière où tous les artistes de la Maison devaient, selon la tradition, venir saluer le buste du génial écrivain. C'était la première fois que j'allais à une cérémonie. Ma jeune sœur, à force de supplications, m'y avait suivie, et nous regardions, les yeux écarquillés de déférence, toute la Comédie-Française réunie dans le foyer.

L'avertisseur ayant prévenu que la cérémonie allait commencer, tout le monde se pressa dans le « couloir des bustes ». Je tenais ma sœur par la main. Devant nous, marchait la très grosse, la très solennelle Mademoiselle Nathalie, une sociétaire de la Comédie, qui était vieille, méchante et hargneuse, et dont Régina, ma sœur, voulant éviter le manteau d'une actrice, escalada la traîne. Mademoiselle Nathalie se retourna et repoussa Régina avec une telle violence qu'elle alla buter sur une colonne. Ma sœur poussa un cri et se retourna vers moi, son joli visage tout ensanglanté. Et quelque chose me monta à la gorge qui n'était pas le rire :

— Vous êtes méchante et bête! lui criai-je et me jetant sur cette Nathalie, avant qu'elle ne me réponde, je lui collai une paire de gifles.

Elle s'évanouit, illico, tandis que brouhahas, indignation, rires étouffés, approbations, vengeances satisfaites et attendrissement des artistes se mêlaient autour de ma sœur, qui balbutia, dans ma direction :

— Je ne l'ai pas fait exprès, je te jure! Cette grosse vache a rué pour rien! — Car ma petite sœur, ce séraphin blond à faire envie aux anges, cette beauté poétique était embouchée comme un cocher (et d'ailleurs le resta).

Sa boutade, grossière, fit rire le cercle amical et indigna le cercle ennemi. Pendant ce temps, le public trépignait dans la salle : nous étions en retard de vingt minutes.

Certains comédiens me serraient dans leurs bras — tant ils détestaient cette Nathalie, d'autres me jetaient des regards furieux : le respect des aînés, tout de même, était à la Comédie-Française un sentiment obligatoire. J'avais beau rire, mon instinct m'avertissait que j'allais payer cher cette réaction familiale.

Le lendemain, je reçus une lettre de l'administrateur me disant de passer à 13 heures exactement. Je cachai la lettre à ma mère et j'allai chez ce directeur,

Monsieur Thierry, qui avait un visage pâle et froid autour d'un nez rouge révélateur de quelques excès.

Il me fit un sermon mortel et interminable sur mon indiscipline, mon manque de respect, ma conduite scandaleuse, etc. Et il finit par m'ordonner d'obtenir mon pardon de Mademoiselle Nathalie.

— Je l'ai fait venir, dit-il, et vous allez lui faire vos excuses devant les trois sociétaires du Comité. Si elle consent à vous pardonner, le Comité jugera alors s'il y a lieu de vous imposer une amende ou de résilier votre engagement.

Je le regardai un instant sans répondre. J'imaginais déjà le pire : ma mère en larmes, mon parrain se moquant de moi, ma tante triomphante : « Cette enfant est terrible! », Mademoiselle de Brabender mâchant ses moustaches, la douce et timide Guérard tâchant de me défendre... un enfer, bref!

— Eh bien, Mademoiselle, répéta sèchement Thierry — et comme je ne répondais toujours pas : je vais demander à Mademoiselle Nathalie de venir ici, et je vous prie de vous exécuter au plus vite. J'ai autre chose à faire que réparer vos sottises!

— N'appelez pas Mademoiselle Nathalie, Monsieur, je ne lui demanderai pas pardon. Je veux quitter tout, et tout de suite! dis-je — ou plutôt m'entendis-je dire, car je ne me rendais pas compte de ce que je faisais.

Je savais simplement que je ne pourrais pas m'excuser auprès de cette grosse et odieuse créature. J'en étais désolée, mais je ne pouvais agir autrement. Thierry en resta confondu. Il eut une sorte de... pitié pour l'orgueil que je lui montrais, orgueil qui allait, pensait-il, briser mon avenir pour un détail d'amour-propre. Il essaya de me parler doucement des avantages de la Comédie, du danger qu'il y avait pour moi à la quitter, il me donna cent autres raisons très bonnes et très sages qui me touchèrent. Mais quand, me voyant attendrie, il voulut faire venir Mademoiselle Nathalie, j'eus un réveil de fauve :

– Qu'elle ne vienne pas, je la giflerais encore!

– Dans ce cas, je ferai venir votre mère!

– Cela ne me dérange pas, je suis émancipée, je suis libre de diriger ma vie, je suis seule responsable de mes actes!

– Eh bien, dit-il, j'aviserai!

Et il se leva.

Je rentrai à la maison décidée à ne rien raconter, mais ma petite sœur y avait déjà créé l'émeute en amplifiant tout. La famille entière était excitée, volubile, désolée, mais je n'étais, moi, que nerveuse. Je reçus mal les reproches qui me furent adressés et je m'enfermai dans ma chambre à double tour.

Cette chambre devait m'être bénéfique puisque le lendemain je reçus du théâtre une convocation pour une lecture de *Dolorès* de Monsieur Bouillé : on m'offrait une pièce inédite!

C'était la première fois que j'étais convoquée pour la lecture d'une nouvelle pièce, et j'exultai : on allait me donner un rôle dans une création, enfin! Bien qu'au théâtre j'appris que ce rôle aurait dû revenir à Mademoiselle Favart qui était souffrante, j'exultais de joie et de surprise; mais j'avais un pressentiment cependant, un de ces pressentiments angoissants qui toujours, invariablement, m'ont mise en garde avant les catastrophes. Celle-ci ne tarda pas : dix jours plus tard, je rencontrai dans les escaliers Mademoiselle Nathalie, qui me salua avec une amabilité et un rire satisfaits; et le lendemain le rôle m'était ôté. Je ne pus supporter cette coïncidence. Je montai chez le directeur de la Maison, chez le malheureux Monsieur Thierry, et au cours d'une scène retentissante, je lui appris que je quittais la Comédie-Française.

Je n'y devais rentrer que douze ans après, en plein triomphe. Mais, l'ignorant encore, ma famille me fit la tête; jusqu'à ce que, par miracle, ma mère me trouvât un emploi à la Comédie du Gymnase.

Françoise Sagan à Sarah Bernhardt

Chère Sarah Bernhardt,

Je m'excuse de vous interrompre, mais il me semble que vous accélérez terriblement votre récit... Que vous arrive-t-il? ou plutôt, que vous arriva-t-il à cette époque?

Sarah Bernhardt à Françoise Sagan

Il m'arriva... il m'arriva qu'il ne m'arriva rien à cette époque, aucun succès : ni à la Comédie-Française ni au Gymnase. Il m'arriva qu'on ne me fit jouer que des sottises au Gymnase, des sottises idiotes. Et que je ne pus y être que médiocre en suivant fidèlement leur auteur. J'en fus si ulcérée que je filai vers l'Espagne avec une malheureuse soubrette qui habitait en face de ma mère et que je convainquis de venir avec moi. C'est ainsi que je passai quelques jours en Espagne, fort ennuyeux, avant de rentrer chez ma mère.

Françoise Sagan à Sarah Bernhardt

Oui, oui, je sais bien! L'histoire de l'Espagne! C'est une belle invention, encore, ce voyage avec cette malheureuse soubrette!...

Mais comment voulez-vous que je vous croie? Comment voulez-vous que l'on vous croie? Vous, partir pour Madrid, sur un coup de tête? Pour y faire quoi? Pour y voir les toreros? Visiter le musée du Prado. Pour quoi?

Sarah Bernhardt à Françoise Sagan

Ah mais! Vous m'ennuyez à la fin... que dis-je : aux débuts... Je partis avec Keratry, en effet. Non pas pour votre Madrid, qui est une ville sinistre (quelle idée :

Madrid!). Je partis, mais à Palma où nous passâmes dix jours exquis dans les orangers, la soubrette installée au mieux dans un hôtel, à Madrid, elle, avec un jeune homme qu'elle aimait beaucoup. Je n'avais dit « Espagne » que parce que je ne voulais pas dire « Keratry », c'est tout...

Je sais, je sais, je me plains dans mes Mémoires d'avoir été désespérée et seule à Madrid. Je sais que je raconte un voyage affreux sur un caboteur, suivi d'un hôtel lugubre, d'une chambre solitaire, et empli d'ennuis que je n'eus pas!

Car j'y eus, en effet, une délicieuse, une merveilleuse sieste d'amour avec Keratry. A Palma, nous nous baignions dans la mer tous les deux, presque nus, au milieu de la nuit et de quelles nuits! Puis nous allâmes quinze jours à Madrid où je fus gâtée, choyée, fêtée, et où je découvris les courses de taureaux. A Madrid, un moment, j'oubliai ma vie passée. J'oubliai chacune de mes déceptions, de mes ambitions, j'oubliai tout, tout, dans les bras de Keratry et je voulais presque vivre en Espagne jusqu'à ma mort. Mais le Destin veillait. Ma Petite Dame m'envoya un télégramme : maman était malade, très malade. Et je n'eus plus qu'à partir.

Ce fut là que cessa mon histoire d'amour avec Keratry. Il voulait que je reste en Espagne; il se doutait que ma mère n'était pas trop malade, il se doutait que j'étais contente de rentrer; il se doutait que, finalement, le théâtre me manquait. Keratry était fou de moi à l'époque, il était prêt à m'épouser, à rester avec moi là-bas, à monter à cheval, à fumer ces gros cigares et à jouer *Ruy Blas*. Keratry était fou tout court.

Mais ma nostalgie pour le théâtre l'exaspérait : lorsqu'il me trouvait en train de réciter quelques vers devant une glace en prenant les poses, il se moquait de moi, cruellement. Les hommes supportent mieux, je crois, d'avoir un rival vivant qu'un rival abstrait. Je dis ça maintenant, mais ce n'est pas sûr... Rien n'est sûr, ma pauvre amie, il n'y a que cela dont je sois sûre. Bref! je le quittai. Nous nous quittâmes; il me dit qu'il ne me reverrait jamais, en quoi il se trompait.

Je lui dis que je n'aimerais jamais que lui et je me trompais aussi. Sur le quai de la gare, j'invoquais ma mère mais je ne pensais, déjà, qu'au théâtre : d'ailleurs, quand j'arrivai à la maison, je trouvai ma mère allongée sur une chaise longue, un peu amaigrie, mais merveilleusement belle et merveilleusement bien.

Elle avait eu une petite pleurésie, maintenant en voie de guérison. Ma présence était strictement inutile. Je repris ma chambre de jeune fille et décidai de vivre ma vie tranquillement. J'étais maintenant une femme, une jeune femme; je connaissais les hommes, le commerce des hommes, je connaissais l'amour et le plaisir, je connaissais mille choses que je n'aurais jamais cru connaître aussi rapidement, et aussi délicieusement que me les avait fait connaître Keratry.

Je devais quitter ma mère, je ne devais pas rester dans une maison où l'amour était un peu trop souvent considéré comme une ressource ou un moyen de subsistance. Car je savais que je risquais, un jour ou l'autre, par faiblesse ou fatigue, de le considérer de la sorte et pour des raisons bien moins bonnes que celles qui m'avaient jetée dans les bras de Keratry. Oui, c'est vrai. En quittant ma mère, je quittais un lieu qui me dégoûtait, bien sûr, mais qui m'attirait aussi un peu. Est-ce qu'on sait vraiment ce que l'on est, à dix-neuf ou à vingt ans? Après quinze ans dans un couvent, un an dans la galanterie et un mois dans les bras d'un homme? Moi, en tout cas, je n'en savais plus rien et de toute façon je m'en moquais un peu. Je savais que, quoi qu'il arrive, quelles que soient mes passions, quel que soit mon goût de la vie ou mon envie de mourir, il y aurait toujours un moment précis et inévitable où je me retrouverais en face de moi-même... De moi, moi sur une scène, seule devant mille personnes.

Françoise Sagan à Sarah Berhnardt

Chère Sarah Bernhardt,
    Je viens de recevoir votre dernière missive et je n'ai

qu'un mot à vous dire, c'est : Bravo! Cela a dû être dur pour vous de faire vivre votre petite famille avec vos cachets qui, je le sais, étaient dérisoires. Cela a dû être dur mais c'est méritoire et je tiens à vous en féliciter. Croyez-moi etc. etc.

Sarah Bernhardt à Françoise Sagan

Je vous prie, ma jeune amie, de garder vos sarcasmes pour vous : cette forme humoristique et quasiment anglaise, cette forme incrédule que vous utilisez, non seulement ne m'humilie pas mais elle me fait rire, si vous voulez la vérité. Oui, évidemment! évidemment! Naturellement j'ai vécu des hommes moi aussi, comme toutes les femmes non mariées, comme toutes les femmes libres de mon époque. Effectivement, si j'ai quitté le domicile de ma mère, ce n'était point parce que son exemple me désespérait ou me gênait mais parce que je voulais le suivre et que c'était plus commode pour moi de le faire dans un appartement indépendant. J'ai vécu des hommes parce que cela me plaisait, que cela ne me dérangeait pas et parce que je ne pouvais pas mener la vie que je voulais mener à Paris avec mes émoluments de la Comédie-Française ou d'ailleurs. J'étais débutante. Mes robes, mes parures, mon train de vie, mes gens, ma calèche, ma famille, de plus, me coûtaient quatre fois plus que ce que me rapportaient mes cachets. Je choisis donc des hommes qui avaient, eux, assez d'argent pour m'entretenir. Je choisis en même temps des hommes qui avaient, eux, assez de cachet pour me plaire. Je les pris argentés et je les pris aussi séduisants. Voilà! Cela n'était pas incompatible à l'époque, même si cela l'est à la vôtre d'après ce que j'ai pu voir : on ne trouve d'argent que chez des hommes qui ont des bedaines, des tics ou une assurance grossière. De mon temps, l'argent sortait gaiement de leurs poches, comme le lait du pis d'une vache; et nous en profitions. Ce n'était pas un veau d'or que nous adorions, c'était la vie dorée. Je ne trouve pas que ce qui s'est passé depuis et se passe aujourd'hui, autant que je sache, représente un progrès.

Françoise Sagan à Sarah Bernhardt

Chère Sarah Bernhardt,

Vous avez parfaitement raison, et au temps pour moi! Je crois que c'est la jalousie qui m'a fait parler en vous voyant évoquer ces beaux jeunes gens fringants, généreux et richissimes! Pour ma part, je n'ai jamais eu des soupirants bien aisés. Ils l'étaient rarement et, bien que cela n'eût pour moi qu'une importance très faible – car, par miracle, j'ai gagné ma vie fort jeune – j'avoue que cela m'eût, par moments, paru bien agréable – ou plutôt, bien rassurant. Remarquez, je n'ai jamais tiré aucune fierté ni aucun sentiment de supériorité vis-à-vis des hommes, de gagner plus d'argent qu'eux, ou même qu'ils dépendent de moi sur un plan matériel; cela ne leur a jamais ôté à mes yeux aucun prestige ni aucune virilité. C'était un hasard, c'était comme ça. Que vous ayez eu besoin d'eux pour vivre me paraît tout à fait naturel et j'en aurais certainement fait autant si cela avait été possible. Et puis, en vérité, si quelqu'un peut vous faire des reproches sur votre gestion, ce n'est pas moi; vous avez gagné, je crois, des sommes colossales comme je l'ai fait moi-même, et vous avez passé votre vie à fuir les créanciers comme je l'ai fait et le fais encore moi-même. J'ai toujours eu l'argent volage et j'y tiens comme à quelque chose qui rentre par la porte et ressort illico par la fenêtre. Maintenant, que sous cette fenêtre il y ait des mains qui en ont besoin et qui l'attendent, ou des Casinos démoniaques ou des corbeilles à papiers – comme on l'a très souvent dit – ne regarde que moi comme votre train de vie ne regardait que vous.

Mais vous avez raison pour le veau d'or. Surtout que ce veau-là est enragé, corrompu, furieux et contagieux. Si quelque habitant d'une autre planète lisait notre histoire, qu'écrirait-il sinon : « A la fin du second millénaire, les habitants de cette planète nommée Terre étaient ainsi répartis : la moitié mourait de faim, implacablement; l'autre moitié consacrait les trois quarts de ses gains à fabriquer de quoi se détruire elle-même. » Et il aurait strictement raison! N'est-ce pas le comble du ridicule, le comble de la cruauté aussi? Tout ce que l'on peut dire, c'est que si nous disparaissons, nous l'aurons bien mérité!

Sarah Bernhardt à Françoise Sagan

Eh bien, ma chère amie, quelles sont ces sombres pensées où vous conduisent nos petites histoires de porte-monnaie? Il faut vous secouer, voyons! Je vous l'ai dit : on nous avait déjà prédit le pire en 14-18 : ces fameux gaz n'ont jamais marché! Ne vous faites pas de souci, la terre est solide et ce ne sont pas quelques crétins avec leurs petits chiffres, leur tableau noir et leurs petits calculs qui pourront détruire cette superbe planète, Dieu merci! Savez-vous pourquoi j'ai été dépensière et pourquoi vous l'êtes sans doute? Parce que vous avez réfléchi comme moi et vous avez constaté ceci : nous faisons partie d'une petite minorité qui, grâce à un talent, grâce à un cadeau du ciel, peut gagner sa vie elle-même – et cela si le public, le gout du public, l'aide à le faire. Nous faisons partie aussi, dans cette minorité-là, de la minuscule minorité qui ne peut pas garder cet argent. Pourquoi? Parce qu'avoir de l'argent et le garder consiste à dire non dix fois par jour à des gens qui en ont besoin (de notre argent, naturellement), et que nous ne pouvons pas dire « non » quand nous pensons « oui ». Troisièmement – et dernière consolation : nous faisons partie de l'infime minorité – de la rarissime minorité – qui sait dépenser son argent. Car c'est là notre revanche, nous qui ne possédons pas d'argent, qui en gagnons par chance et par hasard et le dépensons chaque jour par nécessité, nous qui ne serons jamais des gens riches, c'est-à-dire des gens qui n'ont pas à penser à l'argent : nous, nous avons quand même le sens des fêtes, des farces, des cadeaux et des occasions de plaisir. Eh bien, croyez-moi, cela n'est pas fréquent, pas du tout! Déjà, de mon temps – qui était pourtant plus doux – on voyait des gens couchés sur leurs billets et sur leurs pièces de tout leur long et cramponnés à leur porte-monnaie comme jamais ne le fut bernique à un récif. Or, cette espèce-là est plus répandue aujourd'hui qu'on ne l'imaginait possible de mon temps... Avez-vous remarqué que les hommes très riches ne vous font jamais de cadeaux aussi beaux que ceux que vous leur faites?... Peut-être parce qu'ils ont trop peur d'être aimés pour leur argent? Toujours est-il qu'ils font très souvent des cadeaux comme s'ils étaient pauvres alors que vous-même vous évertuez à leur en faire de fastueux! Ou alors, ce sont des cadeaux qu'ils peuvent revendiquer – ou partager : un voyage qu'ils feront avec vous, un bijou dont ils pourront dire où ils l'ont acheté, une cure en Roumanie dont ils diront avoir eu l'idée, voire une petite maison où ils viendront passer les moments de liberté volés à leur femme et dont le loyer sera à leur nom! Non, non, je vous dis : leurs cadeaux ne sont jamais gratuits. Quel dommage! Jamais quelqu'un de riche ne vous déposera silencieusement et secrète-ment, sans que vos amis le sachent, une forte somme dans une banque, au cas où vous en auriez besoin. Jamais quelqu'un de riche ne vous donnera l'apparte-ment où vous seriez sûr de finir vos vieux jours en cas de disette (et que réclame peut-être parfois, en piail-lant, votre peur de l'avenir). Non, non, hélas, remar-quez-le! Que ce soient vos amants-hommes ou vos amies-femmes, les gens riches vous donneront tou-jours des cadeaux si médiocres qu'ils en deviennent, automatiquement, intimes – et que vous les cachez – ou si tapageurs que vous êtes obligée de nommer leur auteur. Quant à vous, les cadeaux fastueux que vous leur aurez faits pour leur prouver que ce n'est pas leur argent que vous voulez mais leur plaisir, quant à votre cadeau à vous, il ira finir avec leur collection dans un de leurs innombrables tiroirs, dans le noir. Voilà! Ah non, délivrez-moi des gens riches, ils sont trop coûteux!

Et puis, tout cela est fort sot. Bien entendu, nous aimons les gens riches pour leur argent! Cela leur donne une disponibilité et un luxe, une aura dans laquelle nous pouvons flotter tranquillement avec eux. Et alors! Est-ce que les hommes beaux nous demandent de les aimer pour leur cerveau (remarquez, il est vrai que cela leur arrive, hélas! C'est une petite obsession, toujours provisoire, Dieu merci!)?

Ah! je suis bien contente, quand même, que vous n'aimiez pas l'argent plus que moi! Je ne sais pas pourquoi, je n'y pensais pas; et maintenant je suppose que cela m'aurait beaucoup gênée pour vous parler. De même que j'imagine bien que vous n'auriez pas pensé à faire la biographie ou le portrait d'une femme avare.

Mais revenons plutôt à mon métier, puisque c'est le sujet de votre discours. C'est moi qui dois, de temps en temps, vous rappeler au sérieux; c'est bien là le comble! La période qui suivit celle de mon installation fut aussi celle où je me fis un nom à Paris. Je m'y fis un nom auprès des gazettes, auprès des hommes, auprès des courtisanes, auprès de ce qu'on appelait alors le Tout-Paris, je me fis un nom pour de tout autres raisons que mon talent et sur un tout autre texte que celui de Racine. Je m'y fis connaître pour mon infidélité, pour mon charme, pour ma gaieté et pour mon élégance. Voilà! Je m'y fis connaître comme femme et non plus comme comédienne, et curieusement – et même, dirais-je, amoralement – je gagnai plus en célébrité auprès des journalistes pendant cette période de folie que je n'avais gagné en deux ans d'efforts et de sérieux. Vous savez, la phrase de Musset est extraordinairement juste : « Je perdis jusqu'à la gaîté qui faisait croire à mon génie. » Je ne l'avais pas compris jusque-là mais je me rendis compte qu'il est vrai qu'à Paris le succès vient plus aisément à celui qui l'affiche, dès l'instant, bien entendu, qu'il a donné quelque preuve qu'il le mérite. Bref, quand j'entendis dire dans Paris que l'Odéon cherchait des comédiens, je m'y rendis d'un pas vaillant et dans l'un des équipages que l'on m'avait donnés pour d'autres talents. C'était le directeur de l'Odéon, un Monsieur Duquesnel, qui devait recevoir et choisir ses actrices.

A 10 heures et demie du matin, un beau jour, je me fis belle. Je mis une robe jaune serin avec un dessus de soie noire dentelé, un chapeau de grosse paille conique, couvert d'épis et maintenu sous le menton par un velours noir. Ce devait être, dans ma tête, délicieusement fou; et ainsi, pleine de confiance, je me rendis chez Duquesnel. On m'y fit attendre dans un ravissant salon, fort bien meublé et où je vis arriver rapidement un charmant jeune homme de mon âge, sans doute un comédien lui aussi, qui était blond et rieur et qui me fit pousser malgré moi un soupir de soulagement.

– Que je suis contente de vous voir, lui dis-je aussitôt. Nous allons être deux à trembler, ainsi.

– Trembler? dit-il. Mais pourquoi trembleriez-vous?

– Parce que je ne connais pas ce Duquesnel, dis-je, et que j'ai vraiment envie d'entrer à l'Odéon. Je m'ennuie du théâtre et à l'idée de subir cet examen de passage avec ce monsieur que je ne connais pas, je claque des dents!

Et je me mis à claquer des dents avec conviction et grand bruit comme j'avais appris à le faire au Français.

Le jeune homme se mit d'abord à rire, d'un vrai fou rire, puis se jeta à mes genoux, à ma grande surprise.

– Arrêtez de jouer des castagnettes, dit-il, riant encore. Arrêtez! C'est moi Duquesnel et c'est moi qui vous supplie à deux genoux de rentrer dans mon théâtre.

Il tendait les mains vers moi et j'y mis les miennes, bien entendu. Quelques jours plus tard, le reste de ma personne. Il est vrai que Duquesnel avait énormément de charme, bien que son associé, un nommé du Chilly, fût odieux. Duquesnel fut donc successivement mon directeur de théâtre puis mon amant, encore que je ne sache plus très bien quel est l'ordre de ces deux situations. Puis redevint, plus tard, mon amant, puis redevint mon directeur de théâtre, et puis finit, comme toujours, par être mon ami. Duquesnel était un homme grand, fort, viril, gai, charmant, protecteur, très épris de sa femme, d'ailleurs, qui était charmante et convenablement distraite.

Félix Duquesnel resta pour moi, toute ma vie, le plus fidèle compagnon. Tout comme ce jeune homme blond que j'avais rencontré, un jour de printemps, dans un petit salon, et qui m'offrit son cœur, son lit et sa scène pour de longs mois.

Certains hommes, comme ça, passent dans votre existence et en sont de véritables cadeaux.

A peine avais-je signé que je me précipitai chez Mademoiselle de Brabender. La malheureuse était, depuis treize mois, couchée, dans un couvent, avec des rhumatismes aigus dans tous les membres. Elle était méconnaissable de douleur, dans son petit lit blanc, avec un serre-tête, son gros nez affaissé et ses yeux pâles. Seule, sa formidable moustache se hérissait sous les chocs répétés de la douleur.

Je l'embrassai doucement, tendrement, avec un mélange de tristesse et de tendresse étroitement mêlées qui lui réchauffèrent le cœur. Je le vis à ses yeux qui se réveillèrent un instant. Je mis dans un verre à dents où baignaient déjà ses pauvres dents, trois roses que j'avais apportées et je quittai le couvent le cœur très gros.

Je revins la voir tous les jours. J'appris beaucoup de Mademoiselle de Brabender avant qu'elle ne meure.

J'appris beaucoup plus auprès d'elle à ce moment-là que je n'avais appris quand elle vivait pleinement. Elle m'offrit un exemple de courage, de tranquillité et une sorte d'insouciance devant la mort (que j'ai vue chez très peu de personnes) très inattendue chez cette femme qui ne connaissait rien de la vie; que sa moustache avait privée de toutes les joies de la vie de femme; et qui, cependant, montrait devant l'agonie une sorte de tranquillité satisfaite, comme si elle avait eu toute sa vie tout ce qu'elle voulait. Il n'y a aucun rapport, semble-t-il, entre les besoins, les appétits de quelqu'un et les avantages, les bénéfices apparents qu'il retire de l'existence. Il y a même complète antinomie entre les désirs supposés d'un être humain et leur hypothétique satisfaction. Pour ma part, j'ai toujours vu des êtres qui auraient dû être affamés mourir l'air comblé, et j'ai vu des gens qui avaient tout eu, mourir en maudissant le jour de leur naissance.

Mademoiselle de Brabender mourut, hélas, très vite, mais elle eut le temps de me faire une dernière farce. Je vins la voir sur son lit de mort. Je trouvai dix religieuses en ébullition qui entouraient le lit sur lequel reposait un être absolument étrange : ma pauvre institutrice, roide sur son lit, avait le visage d'un homme. Sa moustache avait allongé, une barbe d'un centimètre entourait son menton, et sa bouche, rentrée sans le soutien de ses dents, laissait son nez s'écrouler sur cette moustache. C'était un masque terrible et ridicule qui remplaçait son doux visage. Le masque était celui d'un homme mais les mains, fines et petites, étaient des mains de femme.

Les jeunes religieuses étaient affolées d'avoir gardé chez elles un mâle sans le savoir. Et malgré les affirmations de la sœur infirmière qui avait vêtu le pauvre corps, elles en tremblaient encore et se signaient sans cesse.

J'eus beaucoup de chagrin. Le lendemain de la cérémonie, je débutai à l'Odéon dans *les Jeux de l'amour et du hasard*. Je n'étais pas faite pour Marivaux qui exalte une coquetterie, une préciosité qui ne sont pas les miennes. Qui ne l'ont jamais été. De plus, j'étais trop mince. Bref, je n'eus aucun succès et, ce soir-là, de Chilly, qui passait dans les coulisses, après, pendant que Duquesnel m'embrassait les tempes et m'encourageait, de Chilly lui dit en ricanant :

— C'est une aiguille animée par quatre épingles!

Un instant de fureur, le sang me vint au visage mais je pensai subitement à Camille Doucet, à la promesse que je lui avais faite de rester calme et je me retins. D'ailleurs, Doucet lui-même vint aussitôt vers moi, me dit que j'avais toujours ma jolie voix et que mon second début serait triomphant. Comme il était toujours courtois mais toujours véridique, cela me rassura.

A l'Odéon, je travaillai ferme, toujours prête à remplacer quelqu'un, sachant tous les rôles. J'eus quelques succès, des succès d'étudiants qui m'avaient prise en prédilection. Ce fut long, ce fut long, cela me parut très long, mais enfin le succès, le succès lui-même arriva...

Félix Duquesnel avait eu l'idée de remonter *Athalie* avec les chœurs de Mendelssohn. Les répétitions en furent désastreuses, absolument désastreuses : Boivallé, le grand acteur qui jouait Joad pendant que je jouais Zacharie, poussait des « Nom de Dieu! » terribles. On reprenait, on recommençait, rien n'y faisait. Les chœurs parlés et chantés par les élèves du Conservatoire, les chœurs parlés étaient abominables... Lorsque tout à coup, de Chilly s'écria, dans un accès de génie :

— Eh bien, que cette petite sotte (moi!...) dise tous les chœurs parlés, ça ira tout seul avec sa jolie voix, puisqu'elle a une jolie voix, paraît-il!

Duquesnel ne disait rien, il tirait sa moustache pour dissimuler son rire. Il y venait, le co-associé, il y venait à la petite Sarah Bernhardt! Duquesnel prit donc son air indifférent et on recommença, mais avec moi pour les chœurs. Tout le monde applaudit à la fin et le chef d'orchestre exultait; il avait tant souffert, le malheureux!...

Et le jour de la première de la représentation fut pour moi un véritable petit triomphe. Petit, bien sûr, mais si net, si plein de lumières! Que c'est beau un succès en scène, c'est vraiment, parfaitement, grisant! Le public, pris par ma voix, par la pureté de mon cristallin, me fit alors bisser les chœurs parlés, et des salves d'applaudissements me récompensèrent.

Le rideau tombé, de Chilly vint à moi :

– Tu es adorable, me dit-il en me tutoyant, ce qui ne m'étonna pas (chaque fois que quelqu'un a du succès et se trouve, sur une scène, entouré de fleurs, il se retrouve en même temps abreuvé de tutoiements!).

Je répondis en riant :

– Tu trouves que j'ai engraissé?

Et il se mit à rire, dans un vrai fou rire, celui-là... A partir de ce jour-là, nous nous tutoyâmes et nous devînmes les meilleurs amis du monde. L'humour sape les inimitiés, de même qu'il construit les amitiés – entre ses possesseurs, bien sûr...

Ce théâtre de l'Odéon est le théâtre que j'ai le plus aimé au monde. Tout le monde s'y plaisait, tout le monde était heureux; c'était comme l'école, c'était plein de gens jeunes et gais, et Duquesnel était le directeur le plus galant, le plus spirituel, le plus délicieux de la terre. On allait faire des parties de balle au Luxembourg, on jouait ensemble à n'importe quoi, aux cartes, à la main chaude; et en pensant à la Comédie-Française et à tout son petit monde guindé, potinier et jaloux, en me rappelant le Gymnase et ses problèmes de robes, de chapeaux et de conversations artificielles, je débordais de bonheur de me retrouver à l'Odéon. On n'y pensait qu'à monter des pièces, on n'y parlait que de théâtre, on y répétait tout le temps, le matin, l'après-midi, le soir. J'adorais ça. Quand j'entends prononcer le mot « Odéon », aujourd'hui encore je revois Paris, l'été et les arbres qui bordent la Seine sur la rive droite. J'allais tous les jours au théâtre dans mon petit équipage, car j'habitais à l'époque rue Montmorency, assez loin, dans le XVIe arrondissement. J'avais deux chevaux, deux petits poneys merveilleux que ma tante Rosine m'avait donnés parce qu'ils s'étaient emballés une fois et avaient failli lui casser la tête. Et j'avais une ravissante voiture (que m'avait donnée je ne sais plus qui, d'ailleurs) et qui s'appelait un « petit

duc » et que je conduisais moi-même; je longeais tous
les quais au galop, à fond de train; le soleil de juillet
faisait étinceler Paris, le faisait s'argenter et bleuir.
La ville était déserte, chaude et sublime. Je la traver-
sais les rênes lâches et je ne les resserrais qu'en
arrivant au théâtre. Je laissais ma voiture devant
l'Odéon et je montais en courant les marches froides,
fendillées, du théâtre, je courais dans ma loge en
embrassant tout le monde, j'enlevais mes vêtements,
mon chapeau, mes gants et je bondissais enfin sur la
scène, dans le noir : heureuse dans l'ombre après
cette grande traversée ensoleillée dans Paris. Là,
dans la maigre lumière de la lampe pendante sur la
scène, là, dans les décors, là, dans le noir, là, devant
des visages à peine perceptibles, là, était la vraie vie.
Car je ne trouvais rien de plus vivifiant que cet air
plein de poussière, je ne trouvais rien de plus gai que
ce noir, je ne trouvais rien de plus lumineux que
cette obscurité. Ma mère eut un jour la curiosité de
venir m'y voir et en fut mortellement dégoûtée :

— Comment peux-tu vivre là-dedans? me dit-elle.

Comment lui dire que je n'aurais jamais pu vivre
ailleurs? Oui, je pouvais vivre là-dedans, je ne vivais
même que là-dedans!... Depuis, j'ai dû composer un
peu, mais je n'ai jamais aimé vraiment que ces usines
sombres dans lesquelles, mes compagnons et moi,
nous taillions, nous découpions en morceaux nos
pièces comme le font les bouchers et les poètes.

Les jours s'égrenaient; j'avais vingt et un ans, l'air
d'en avoir dix-sept, je jouais des femmes de trente-
cinq ou cinquante ans avec le même bonheur. Car la
vie n'était pour moi qu'un perpétuel bonheur. Paris
m'attendait dehors avec ses chevaux, ses ciels, ses
platanes, ses hommes, ses cafés, ses bals, ses aubes,
son champagne, ses nuits : y exister était une chance
complète, parfaite, ronde. Y vivre était sublime. Et
curieux, et étonnant : je vis tout, à l'Odéon. Je vis
Madame George Sand se cacher derrière un décor,
des heures, par timidité, je vis Dumas se faire huer
pour avoir exposé une maîtresse dans sa loge, je vis

un acteur grossier apostropher – parce qu'il était soi-disant assis sur ses gants – l'ex-prince Napoléon, et celui-ci jeter ces mêmes gants à terre en s'étonnant que la banquette de l'Odéon fût si sale! Je vis une salle, furieuse parce qu'on ne jouait pas du Victor Hugo, attaquer ce pauvre Dumas en réclamant: « *Ruy Blas! Ruy Blas!* Victor Hugo! Victor Hugo! *Ruy Blas!* » – et je m'entendis réclamer pour Dumas le droit de n'être pas Hugo. Je vis le public éclater de rire quand j'entrai, dans *Kean*, vêtue en petite anglaise et je le vis très vite, après, grâce à l'ovation de mes amis étudiants, ne plus rire, prêter l'oreille et s'immobiliser comme confondu, maté par ma voix dont déjà les journaux commençaient à parler.

Je vis surtout arriver, un beau jour, amoureux fou d'Agar, notre grande tragédienne, le jeune François Coppée qui ressemblait follement à Bonaparte. Il apportait une pièce qu'Agar voulait jouer avec moi et que j'imposai à Duquesnel; sans aucun mal car, bien qu'épris de sa femme, il l'était toujours de moi.

J'ai toujours bien aimé, au fond, être la maîtresse des hommes mariés, cela vous permet de les voir au mieux de leur forme et vous évite de les supporter dans la cohabitation – qui peut être parfois bien douloureuse. A ce propos, je ne sais pas encore pourquoi l'on s'imagine que la maîtresse d'un homme marié reste tristement à l'attendre chez elle, tandis que l'amant d'une femme mariée voltigerait, lui, au contraire, de fleur en fleur et de foyer en foyer, comme un papillon. Enfin!... c'était une des conventions et des sottises de la société de mon époque. Est-ce que cela dure, ou est-ce que ce pieux mensonge ne marche plus, à votre époque?

Françoise Sagan à Sarah Bernhardt

Chère Sarah Bernhardt,

Cela dure encore : l'amant d'une femme mariée est supposé « coquin heureux » et la maîtresse d'un homme marié « pauvre victime ». C'est Feydeau dans les salons ou « back street » au coin du feu. Non, pour cela, les choses n'ont pas changé, enfin tout au moins leur appellation.

Sarah Bernhardt à Françoise Sagan

Eh bien, c'est très bien comme cela! Les hommes aiment bien être rassurés dans leur vanité; et il est même, peut-être, préférable que cela n'ait pas changé d'un siècle à l'autre; cela les met de bonne humeur et cela ne nous dérange pas beaucoup dans nos agissements. Après tout, qu'est-ce qui mène le monde. A part nous? Pour en revenir au théâtre et à François Coppée, il s'agissait du *Passant*, dont on commença les répétitions peu de temps après mon arrivée avec l'aide de ce jeune poète qui était un causeur plein d'esprit et un homme charmant. *Le Passant* fut un véritable triomphe; le public ne cessait d'applaudir, le rideau se releva huit fois sur Agar et sur moi. François Coppée fut célèbre en vingt-quatre heures, et Agar et moi comblées d'éloges. Nous jouâmes *Le Passant* plus de cent fois de suite avec une salle comble. Nous fûmes même priées aux Tuileries chez la princesse Mathilde.

Ah! Cette journée aux Tuileries! J'y allai avec ma Petite Dame horriblement impressionnée – d'autant plus qu'on nous avait envoyé comme aide de camp, pour nous présenter à l'impératrice Eugénie, Monsieur le comte de la Ferrière, un homme tout à fait aimable mais compassé jusqu'à l'asphyxie. Comme nous passions rue Royale, et y étions arrêtés, un général, ami de la Ferrière, s'approcha, nous salua, et nous quitta en criant :

– Bonne chance!

A ce moment-là, il fallut qu'un clochard qui passait répondît :

– Bonne chance? Pas pour longtemps, tas de propres à rien!

La Ferrière eut l'air si scandalisé – et la voix de cet énergumène après celle du général si snob était si saugrenue, il y avait un tel divorce entre ces amabilités sans conviction et cette rudesse si convaincue – que le rire me prit : arrivée aux Tuileries, j'avais les larmes aux yeux à force de me contenir et m'entraînai désespérément à faire des révérences dans le salon, en répétant devant ma Petite Dame et en lui demandant son avis, pour me reprendre. Hélas! L'Empereur arriva dans mon dos, me vit en train de répéter et ne put que « toussailler » pour arrêter ma gymnastique. Titubante de honte pour le coup, je le suivis, fis une révérence fort plate devant l'Impératrice et je visitai les appartements princiers en bougonnant au lieu d'admirer. D'ailleurs, je n'ai jamais été dans l'humeur qu'il fallait pour les choses solennelles : j'ai toujours eu envie de rire aux enterrements, de pleurer aux mariages et de blasphémer aux baptêmes! C'est peut-être pour cela que j'aime tellement le théâtre : au moins, y ai-je un rôle tout écrit, que je n'ai qu'à suivre en pensant à autre chose, à ce qui me passe par la tête et qui n'est, hélas, jamais continu dans les sentiments (sinon vis-à-vis de Maurice qui, pourtant, déjà à l'époque, se plaignait d'avoir une mère-oiseau. « Maman-oiseau », comme il disait).

Françoise Sagan à Sarah Bernhardt

Maurice! Tout petit, tiens? Qui est-ce? Qui est ce jeune homme dans votre vie? Ce petit jeune homme, serait-ce votre fils? Vous ne m'avez parlé ni de son père, ni de son arrivée, ni de rien; comment cela se fait-il? Il semble pourtant qu'il ait eu la place principale dans votre vie? Vous avez été le contraire de votre mère, semble-t-il aussi, par rapport à lui. En parlerez-vous?

Sarah Bernhardt à Françoise Sagan

C'est vrai, je ne vous ai pas parlé de Maurice. Je n'ai jamais eu envie de parler de Maurice dans mes Mémoires, ni à personne. Il était pour moi quelque chose de si naturel, de si conséquent, à la fois de si léger et de si indispensable. C'est peut-être la seule fois, la seule circonstance de mon existence où je me suis conduite comme la norme des femmes. J'ai été mère tout à fait naturellement comme j'ai été rousse, comme j'ai été tragédienne. Un journaliste fort grossier me demanda un jour de qui était mon fils. Je lui répondis que je ne me souvenais jamais si le père était Gambetta, Victor Hugo ou le général Boulanger, parce qu'il m'ennuyait. Mais maintenant, comme tout cela est loin et que tout le monde est mort, je peux vous dire que le père était le prince de Ligne. Maurice naquit en 1864 et fut mon grand amour. Je n'ai rien d'autre à raconter là-dessus; si le prince m'aima plus longtemps que je l'aimai, si je dus le supplier, ou si c'est lui qui me supplia. Rien. Cela n'a pas d'importance puisque le fruit de notre liaison fut Maurice; et que je l'ai aimé comme personne et qu'il m'a aimée comme personne. Tout le reste est potins, ragots et histoires inutiles.

Revenons à l'Odéon, voulez-vous?

Françoise Sagan à Sarah Bernhardt

Chère Sarah Bernhardt,
Vous avez tout à fait raison de répondre ainsi. Je sais très bien que vous avez aimé cet enfant plus que tout et que ce fut pour vous le plus miraculeux des secrets, et le plus aimé. Je trouve même tout à fait touchant que vous ayez pu, dans ce manège effréné qu'était votre existence, rester pour lui la mère, rassurante et tendre que ses lettres et ses récits ne cessent d'évoquer. Et vous avez parfaitement raison de ne pas vouloir vous étendre sur sa naissance et

sur le reste; quelle importance! Je ne suis pas pour les idées ni les conduites générales, mais je crois vraiment que s'il y a une chose dont on n'ait pas à se justifier, en tant que femme, c'est d'un enfant qu'on a fait, qu'on a élevé et qu'on a aimé. Pour une fois que nous avons des critères identiques, j'en suis ravie.

Sarah Bernhardt à Françoise Sagan

Et moi, je suis soulagée de voir que nous avons les mêmes principes, un peu brefs, certes, mais définitifs, de morale. Bravo. Revenons à l'Odéon! Quelle autre question, au passage, vouliez-vous me poser?

Françoise Sagan à Sarah Bernhardt

Tout à l'heure nous parlions de Proust, et il semble d'après vos biographes et certaines de vos lettres que vous ayez été amoureuse du modèle de Swann. Ce Charles Haas était-il aussi séduisant que sa réputation et Proust ont bien voulu nous le laisser entendre?

Sarah Bernhardt à Françoise Sagan

Il vous faudra supporter un préambule à ma réponse, ma chère amie. Vous le savez, les projecteurs que l'on nous braque au visage aveuglent souvent plus notre entourage que nous-mêmes : ce qui veut dire que j'étais plus admirée que je ne m'admirais moi-même; croyez bien que je n'en tire aucune fierté, mais enfin cela est comme ça. En plus des mille coups de cœur, en plus de deux passions que je vous raconterai plus tard, pour des hommes que j'ai épousés et que je n'aurais pas dû même regarder, j'ai eu quelques déceptions par-ci, par-là, mais fort peu de grandes amours. Charles Haas a été un de ces amours. J'entends par amour un sentiment que l'on comprend, que l'on se comprend d'éprouver et que l'on ne peut que s'approuver de ressentir. Charles Haas avait tout pour lui, en dehors de son charme irrésistible – et vrai comme certains lieux communs – Charles Haas avait du goût, de la générosité, du cœur, du courage, de l'élégance sur toutes les coutures et dans tous les recoins; il n'avait contre lui, à mes yeux, qu'un défaut : c'était ce goût de la mondanité et des gens ennuyeux qu'il ne pouvait contenir, qui le faisait courir dans des endroits aristocratiques et sinistres à n'importe quelle heure du jour et de la nuit. Cela ne me dérangeait pas; j'avais ma vie à moi et dès que je le revoyais et que nous étions seuls, nous avions des conversations et des rires de gens de la même espèce. Nous avions presque les mêmes couleurs d'yeux, les mêmes couleurs de cheveux, le même port de tête; nous avions le même goût de l'excès, la même ironie. Simplement il était, je le crains, plus cultivé et plus intelligent que moi. Je ne pus m'empêcher de jouer un peu avec lui, de faire la comédienne, de faire la coquette, de lui tendre quelques pièges, et il ne put s'empêcher de me faire remarquer qu'il les voyait, qu'il les distinguait et qu'il les repoussait. Nous en vînmes parfois à quelques disputes de vanité ou à quelques mauvaises querelles qui n'auraient pas dû avoir lieu entre nous et qui furent très souvent, je l'avoue, de ma faute.

C'est que, hormis le fait que je l'aimais et que je l'appréciais d'être intelligent par nature, j'aurais bien voulu, par moments, qu'il fût sot par amour. Et quand il riait de mes manœuvres, j'aurais bien aimé qu'il crie. On ne peut pas tout avoir : son égal, son ami, son amant, son complice (et son amour par moments). On ne peut pas avoir tout cela et que cela dure. On se lasse de l'égalité; il y a toujours dans l'amour un rapport de force que l'on veut inverser ou accentuer, sans lequel ou l'un ou l'autre s'ennuie. Ce fut Charles qui s'ennuya le premier, pas moi. Je souffris affreusement, non pas de son départ – car il ne me quitta jamais réellement – non pas de son départ mais de son éloignement.

C'est bien sûr quand je sentis qu'il me fuyait, que je me livrai à mille pantomimes ridicules pour le retenir. J'allai du suicide jusqu'à la provocation; il me connaissait trop bien, cela le fit rire et parfois me chagrina car il avait bon cœur et finalement ne m'en voulait pas trop de me montrer si peu à la hauteur de ce que nous avions été ensemble. Ce fut une histoire douloureuse; même maintenant quand j'y pense, elle reste une histoire douloureuse. Pourquoi ne peut-on pas vivre avec quelqu'un qui est de la même espèce? Pourquoi ne pas vivre avec notre alter ego, notre âme sœur, notre amant frère, notre double, notre correspondant? Pourquoi devons-nous toujours repartir vers des champs de bataille ou des ambitions ou des passades, vers quelques-uns de ces tristes et interminables combats, aussi gais soient-ils, qui toujours nous opposent aux hommes – nous femmes – de par notre sang, notre manière de vivre, notre manière de penser, et cela quels que soient notre milieu, nos caractères? Je n'ai pas cessé de regretter Charles, mais je ne crois pas que lui-même m'ait regrettée beaucoup. Il était trop pris; et même s'il a pensé par instants que nous aurions pu vivre heureux ensemble, il n'y a jamais cru vraiment; et d'ailleurs moi-même y aurais-je cru si lui-même avait fait mine de se livrer à moi un peu plus qu'il ne l'a fait? Je n'en sais rien vraiment.

J'espère que vous n'attendez pas de moi une description des Guermantes : je n'ai pas connu les Guermantes ni les femmes du monde de la noblesse parisienne. Les artistes n'étaient pas reçus à l'époque; la France était encore trop bourgeoise ou trop ennuyeuse. Ce n'est qu'en Angleterre que les lords et les ducs, les plus grands noms du royaume, trouvent honorable la compagnie des comédiens, des gens d'esprit, des artistes, et qu'ils recherchent à les fréquenter, quitte à s'humilier pour cela. En France, il y a une concierge qui veille dans chaque hôtel particulier; mais qui n'est pas forcément dans la loge. Disons, pour achever cette histoire d'amour malheureuse, que mon chagrin fut d'autant plus vif que je ne pus le partager. Personne ou presque n'était au courant de ma liaison avec Charles; Haas était un véritable homme à femmes, c'est-à-dire qu'il préférait beaucoup rentrer avec une femme que la sortir. Je me suis toujours beaucoup méfiée des hommes à femmes, de ceux qui se promènent dans les salons ou dans les bals ou dans les boîtes de nuit ou dans le bois de Boulogne avec leur grande passion accrochée à leur bras. J'ai toujours vu les hommes discrets, presque pâles, presque vagues, anonymes dans des embrasures de portes se révéler de véritables amants dans un lit et dans les tête-à-tête. Cela, je l'imagine en tout cas, n'a pas changé. Il y a quelques hommes ainsi, étrangement, dans la vie d'une femme, dont elles connaissent le corps au millimètre carré, mais sur le visage desquels ses amis ne peuvent même pas mettre un nom. Ce sont les hommes de l'ombre, les hommes de la nuit, les hommes des draps; ce sont les hommes du plaisir. Je souhaite à chaque femme d'en avoir connu au moins un dans son existence. Disons que pour moi, et cela peut paraître curieux, ce fut un homme dont on parlait beaucoup et comme d'un mondain et dont on connut plus les toilettes que les aventures! Disons que pour moi mon homme de nuit, mon obscur et anonyme partenaire fut éclatant, le célèbre mondain Charles Haas.

Pendant ce temps-là, sur un plan prosaïque, sur un plan financier, j'en étais arrivée malheureusement à un tel point de déficit, entre mes cachets et mes besoins, entre mes revenus et mes dépenses, que je ne savais plus où donner de la tête ni à qui tendre la main. J'avais à payer d'abord mon appartement, où je logeais quelque domesticité, mon fils et ma grand-mère (car ma mère s'était débrouillée pour me coller sa propre belle-mère, femme acariâtre et odieuse), et ne savais plus comment nourrir ce petit monde tout en achetant mes chapeaux. De plus, un incendie catastrophique ravagea totalement la rue

Auber où j'avais finalement atterri avec ma smala. Contrairement à ce que dirent les journaux à l'époque, je ne m'étais pas assurée, par une superstition tellement sotte que je ne veux même pas y penser. Bref, je n'avais plus un sou. J'étais réduite à quia et mes créanciers devenaient insistants. Et quand je dis « insistants », je suis polie! Vous aussi connaissez cette espèce, j'imagine!

En attendant, que faire, que faire? Je ne trouvai qu'une solution (pas spécialement originale) : pour une théâtreuse, il n'y a qu'un moyen de regagner d'un coup quelques sous, c'était par le biais du théâtre. Une soirée donnée en ma faveur, à l'occasion de mon incendie et de ma misère prochaine, était le seul moyen envisageable (sinon à me louer durablement à un barbon, ce dont je ne me sentais pas capable). Mais comment provoquer la compassion, à Paris? Ma misère n'attirerait personne; il me fallait montrer un spectacle plus amusant ou plus agréable. Une seule personne pouvait m'aider, une seule : c'était la fameuse Patti. Vous avez sans doute entendu parler d'Adelina Patti, la merveilleuse cantatrice, et de sa fameuse interprétation du *Barbier*? Non? Bien sûr, vous êtes inculte! Passons... Sachez qu'Adelina Patti était une merveilleuse cantatrice mais aussi une femme que l'on disait fort « convenable ». Elle avait épousé récemment « Bébé » de Caux – le marquis de Caux, pardon! – qui en était, du même coup, devenu lui-même un époux fort honorable. Bébé de Caux, avant de se ranger, avait été un de mes très proches amis, deux ans plus tôt. Il n'avait pas craint de me montrer; il avait voulu, plus précisément, me gagner à quelques perversités (ramenées de je ne sais quel pays ou quel roman), et qui l'obsédaient à l'époque. Bien entendu, je m'étais beaucoup moquée de lui et l'avais éconduit là-dessus, tout en lui jurant le secret. Ce secret, bien sûr, il n'était pas question que je le dévoile à sa femme, sa charmante femme à la voix d'or! Néanmoins, je l'avoue, je laissai traîner dans ma conversation quelques allusions un peu aiguës qui le firent se démener comme un beau diable et persuader sa femme de m'aider... soit de chanter à la grande soirée de gala que donneraient en ma faveur Duquesnel et de Chilly dans leur théâtre.

Le propriétaire de mon immeuble me réclamait 50 000 francs. Grâce à Patti, on réunit ce soir-là à l'Odéon la somme énorme de 33 000 francs. J'étais sauvée! Je restais ruinée, mais j'étais sauvée... Je pouvais me retourner : les théâtres russes m'invitaient et je faillis partir pour la Russie, encore qu'il y fît un froid de loup et que je craignisse d'y tomber vraiment poitrinaire, à force de jouer cyniquement les phtisiques comme cela m'arrivait avec les importuns.

A regret, j'étais quand même prête à m'acheter quelques fourrures à crédit ou à me les faire acheter par je ne sais qui, lorsque je vis arriver le fameux notaire du Havre. Cette fois-ci non pas comme le sinistre et rébarbatif individu d'autrefois, mais comme un miraculeux envoyé du ciel : saint Gabriel en redingote rayée et pantalon à sous-pattes! Je suis incapable de vous résumer les méandres verbaux et les complications financières que ce notaire utilisa pour m'expliquer les legs de mon père, mais il me remit à la fin une somme fort consistante; et qui me fit repartir sur un pied convenable! C'était un miracle, un véritable miracle : mon père, que je n'avais jamais vu, m'avait sauvé la vie deux fois de suite, m'arrachant la première fois à une galanterie suggérée par ma mère, et la seconde fois, une galanterie imposée par la gêne. De toute manière, la galanterie, quelle qu'elle soit, dès l'instant qu'elle est obligatoire, est sinistre. J'étais *sauvée*, je retrouvai le luxe et, du coup, mille amis qui avaient disparu pendant cette triste période. Pour vous dire la vérité, cela ne m'avait ni étonnée ni même déçue. Je ne m'attendais pas à ce que mes amis aient mes défauts. Pourquoi aurais-je attendu qu'ils aient mes qualités : que je donne à d'autres ne signifiait pas que l'on doive me donner à moi! Je m'en passai donc, sans étonnement comme sans mélancolie.

C'est alors que tout allait bien, pour moi du moins, qu'arriva la guerre. Elle éclata pendant l'été.

Une petite hémorragie, prix de mes excès, en l'été 1870, m'avait contrainte à aller faire une cure aux Eaux-Bonnes. Quiconque sait ce qu'est une cure comprendra, malgré mon chagrin, le demi-soulagement que m'apporta tout d'abord l'annonce de la guerre (je devais vite, en revanche, en reconnaître l'horreur). Je rentrai aussitôt à Paris, par patriotisme, bêtement mais irrésistiblement, car j'ai toujours été une patriote endiablée. J'ai la cocarde aussi naturellement au cœur que le fard aux joues. Qu'y puis-je? J'adore les musiques militaires, l'idée de la France me fait pleurer à chaudes larmes et le courage de nos braves soldats trembler d'admiration! Voilà! Mon amoralité n'est pas remise en question pour cela, mais mon patriotisme est irréversible. Je suis Française, je précise, et patriote, sauf dans le sens où le comprennent certaines vieilles et hypocrites badernes de notre époque (et sans doute de la vôtre). J'aime la France « Juste », d'abord et surtout. Par exemple, j'ai toujours aimé Zola : le matin où *L'Aurore* publia « J'accuse », je vins chez lui, et quand la foule hurlante voulut le lyncher, c'est moi qui apparus à la fenêtre et qui la calmai. Vous ne le saviez pas? Eh bien, je vous l'apprends! J'ai horreur du racisme, j'aime les étrangers, tout autant que j'aime mon pays, car c'est en les accueillant que la France m'a permis d'être française. Rien au monde ne me ferait rejeter ceux qui rêvent de prendre mon pays pour patrie.

Et puis en dehors de toute idée de nation, un être humain est un être humain! Si j'ai parfois été dure envers certains hommes, j'ai toujours aimé « l'homme », l'individu et la foule. Peut-être, entre ces deux idées générales, de nombreux personnages du sexe masculin ont-ils eu à pâtir par ma faute, mais ils ont été peu à s'en plaindre! J'ai toujours gardé mes amants comme amis. Est-ce si mauvais signe, pour une femme fatale et cruelle?

Je faillis donc me faire lyncher par les ennemis de Zola. Mais ce n'est pas seulement la foule que j'ai dû défier : au moment de l'affaire Dreyfus, je me suis brouillée avec mon propre fils : Maurice avait été assez sot pour s'engager dans la Ligue patriote, qui était capable de tout, y compris de l'antisémitisme le plus primaire et le plus sot, le plus ignoble. J'ai été brouillée avec mon propre fils pendant près d'un an et je crois avoir souffert de cette séparation plus que d'aucune de mes brouilles avec aucun amant. Mais je n'avais pas le choix. La justice en moi est plus forte que l'amour.

Parlons de choses plus gaies. Que m'arrive-t-il? Quel est ce rôle de suffragette que je me prête tout d'un coup? pouvez-vous vous demander. Nouvelle comédie? Non : la guerre arriva. Je rentrai à Paris et j'y devins infirmière. Je m'occupai de nos soldats blessés et, tout autant que la nouveauté de ce rôle, le danger, les difficultés qu'il comportait aussi, me séduisirent... J'ouvris d'abord ma maison pour en faire un hôpital, que je déplaçai ensuite à l'Odéon. J'allai trouver pour cela le préfet de Paris, chez lequel j'entrai, telle une pieuse et diligente femme du monde, rôle que je laissai tomber prestement lorsque je me retrouvai en face de : Keratry, lui-même! Six ans après, mon beau Keratry était resté le beau Keratry; et, apparemment, il ne me trouvait pas si mal, non plus, puisqu'il se leva en rougissant! À son âge! Lui qui était le grand responsable de la capitale! Nous tombâmes dans les bras l'un de l'autre. D'abord au figuré, bien sûr, puis, un soir... enfin, cela est loin, cela est vieux. Il fut charmant et efficace; je reçus du blé, du pain, du vin, de la nourriture, des pansements, tout pour ces jeunes soldats blessés qui, pendant des semaines, défilèrent chez moi. Ce fut une terrible, affreuse et belle année tant j'y vis des êtres humains se montrer dignes de ce nom. Mais je vis des horreurs, je vis des hommes abîmés, mourants, souffrants, hurlants, réclamant leur mère, terrifiés par leurs souvenirs et suppliciés dans leurs corps, dans leur cœur, dans leur âme; je vis ce que l'on peut voir de pis; et je peux vous dire que rien n'est plus atroce qu'une guerre, que rien ne justifie une guerre, qu'il n'y a pas une provocation, qu'il n'y a pas un sentiment, un affront, une perte même, qu'il n'y a rien qui vaille une guerre. Il faut me croire. Quand on pense que cette barbarie a été et sera toujours provoquée par la force souterraine des marchands d'armes, par les insuffisances ou les vanités de quelques potentats, j'ai envie de hurler. De me lever une dernière fois, de repousser la terre et les herbes qui me recouvrent et de crier sur toutes les scènes du monde, n'importe lesquelles : « Arrêtez! Arrêtez-vous, c'est atroce! Atroce et inadmissible! Rien ne vaut, ne vaudra jamais cet enfer! » Je les ai vus, ces jeunes garçons, ces hommes brisés, Français ou non, en 1870 d'abord, puis plus tard, bien plus tard, en 1918. Je les ai vus... oui...

Mais il ne s'agit pas de se mettre brusquement à sangloter dans ce chapitre.

Françoise Sagan à Sarah Bernhardt

Chère Sarah Bernhardt,

Si cela vous intéresse le moins du monde, sachez que je suis tout à fait d'accord avec vous. La guerre est une chose immonde – en 1987 comme en 1870. Il faut vous préciser que celle qui nous attend, nous, sera la plus sinistre qu'on puisse imaginer, et la dernière. Nous recevrons non pas les obus de la grosse Bertha, mais une bombe atomique, c'est-à-dire une bombe qui ravagera tout, à des millions de kilomètres à la ronde et ne laissera plus d'êtres vivants sur notre planète. Il n'y aura plus ni civils ni soldats; il n'y aura que des squelettes brûlés, mourant tout de suite ou plus tard, quoi qu'ils puissent faire, où qu'ils puissent se cacher. Le pis est que, d'une part, nous ne saurons jamais qui l'a déclenchée (le savoir nous ferait une belle jambe, d'ailleurs!) et que, d'autre part, ce ne sera même pas un homme qui la commencera; mais, sans doute, une chose, un objet, un ordinateur, un fil de laiton qui fondra, par erreur. Et adieu, la terre et les hommes!

Mais le futur est, sur ce plan, bien moins passionnant que le passé. J'ignorais tout, en effet, de l'histoire de Zola et de votre amitié avec l'auteur de *J'accuse!*, et de vos positions dreyfusardes. Cela me passionne. Je ne vous voyais pas bien, je ne sais pas pourquoi, mêlée à la vie politique du pays. Pourquoi? C'est idiot! Je ne sais comment vous dire cela, mais je m'excuse à l'avance, je m'excuse d'ores et déjà – de ma condescendance, non – mais de ma légèreté envers celle que je ne vous supposais pas être.

Sarah Bernhardt à Françoise Sagan

C'est tout à fait naturel : une comédienne qui a eu des amants et une vie tapageuse, une femme, en bref, n'est pas supposée avoir de sens critique ni de tête. Il n'y a pas de raison que je fasse exception à la règle. Vous devez le savoir, vous-même, en tant que femme, non? Enfin!

Nous sommes actuellement à la première guerre que j'ai connue, c'est-à-dire 1870. J'y avais dix-neuf ans. Bon! Non?... D'accord, j'en avais plus! Disons vingt-cinq ans! Cela vous va-t-il, vingt-cinq ans? De toute façon, que ça vous aille ou pas, j'ai vingt-cinq ans en 1870!

J'étais partie chercher ma famille réfugiée contre mon gré en Allemagne, après un voyage dément parmi les troupes allemandes et j'avais ramené à Paris tout mon petit monde. Je rentrai à Paris au milieu de la Commune; le peuple avait eu faim, avait eu froid, et souffert de la guerre. Il ne voulait pas que ce fût pour rien. Il voyait rentrer les bourgeois à Paris, insouciants

102

comme si cette guerre n'avait pas eu lieu, ni son déshonneur, ni ses souffrances. Il ne supportait pas que celles-ci aient été pour rien. Il y eut donc une révolution. Il semble que les révolutions viennent de ce que les peuples ne supportent plus d'avoir faim, et le proclament. Ou, plus exactement, il y a toujours un moment en France où demander du pain veut dire renverser l'État.

Je me réfugiai à Saint-Germain-en-Laye avec ma famille. Paris était la proie d'incendies, de batailles où je ne pouvais rien faire, où je n'avais rien à faire quelle que fût ma tristesse : quand on aime son pays, on ne supporte pas de le voir à feu et à sang.

J'avais un ami, alors, un major nommé O'Connors, avec lequel je montais à cheval en forêt de Saint-Germain. Les épaves de la guerre, les soldats ou les francs-tireurs, se réfugiaient parfois hors des murs de la capitale pour avoir un peu de repos ou un peu de pain. L'un d'eux, un jour, tomba sur O'Connors et fit feu sur lui. O'Connors lui tira dessus à son tour et le retrouva un peu plus tard agonisant dans un taillis. L'homme eut la force de lui tirer encore dessus et le manqua : je vis mon beau major, ce mondain, ce gentleman, devenir fou furieux, je vis sur son visage une expression de fureur criminelle et bestiale qui me le rendit à jamais insupportable ; je le désarmai comme il allait achever cet estropié. Pourtant il m'avait plu...

Tous les soirs, une lumière effrayante, lugubre, éclairait le ciel, là-bas sur Paris, le rendait rose ou rouge ; et l'on savait que les flammes ravageaient la ville, ravageaient peut-être les statues et les arbres et les théâtres de la ville. A vrai dire, peu m'importait, à ces moments-là. J'avais vécu au centre de cette guerre, entourée de gens qui avaient tous été bons, miséricordieux et compatissants ; l'idée qu'ils s'étaient réfugiés derrière des barricades et que des soldats, dans des costumes bien cintrés à la taille, leur tiraient dessus me donnait mal au cœur, au grand dépit de mes amis et des mes connaissances. Je passais pour révolutionnaire moi aussi et pourtant... pourtant... Bah! ce n'est pas le moment de parler de politique ni d'histoire, je le crois. Les deux ont eu, apparemment, fort peu de place dans mon existence – vous devez le savoir – mais vous devez aussi ignorer ce que cela m'a coûté, par moments, de n'être que la frivole, la superficielle, la faramineuse Sarah Bernhardt! D'ailleurs, mes opinons, en politique, faisaient toujours le tollé. « Eh quoi! me disait-on, de quel droit parlez-vous des pauvres gens? Vous vivez dans le luxe, non? » Assise entre deux chaises, je n'arrivais pas à leur faire comprendre que le fait d'avoir une vie agréable ne m'empêchait pas de la souhaiter à d'autres. C'est là tout ce qu'on peut appeler la dissonance dans ma position; et, tant qu'à faire, j'aime mieux être assise entre deux chaises, partagée entre mes habitudes de luxe et ma compassion, que de rester vautrée au fond d'un fauteuil, égoïste et repue, là où se trouvent les bourgeois les plus féroces, confortablement sourds aux cris du dehors. Je ne tiens pas à en faire partie, et d'ailleurs je n'en suis pas. J'ai toujours travaillé pour gagner ma vie et celle des miens. Il n'y a que les bourgeois pour croire que l'on a la même âme qu'eux parce qu'on a le même bottier. Leurs repères sont, cependant, bien courts... Et il est plus hypocrite d'utiliser ces repères que des les refuser. « Comment cela? Vous mangez parfois du caviar? Et vous osez souhaiter que d'autres aient toujours du pain? Cela vous paraît-il logique? » Passons... Passons...

Donc, la Commune se déroula dans le carnage et l'horreur et nous rentrâmes à Paris tous blessés de loin de ce que nous n'avions pas vu pourtant de près. A ma grande surprise, le théâtre fut un des premiers à refleurir à Paris. Tout le monde en avait besoin, du moins tous ceux qui pouvaient s'y acheter des places. Quant à moi, j'en avais farouchement besoin, comme d'un exercice, d'un travail, un exutoire à une confusion de sentiments et de personnalité que je n'avais, jusque-là, jamais ressentie.

L'Odéon avait repris *Jean-Marie*, une pièce de Theuriet que je jouai; avec succès, il est vrai. Mais il y avait autre chose qui m'attendait, quelque chose de sublime (de temps en temps, j'ai le sentiment du sublime, une sorte d'odeur qui me monte au nez). Et le sublime, à cette époque-là, était Victor Hugo, grandi par l'exil et revenu comme un prophète. Il invoquait une démocratie nouvelle en France, et toute la France le connaissait, toute la France connaissait ses mots, sa famille, ses frasques. A la fin de 1871, l'Odéon décida de monter *Ruy Blas*.

Victor Hugo demanda que la première lecture eût lieu dans sa maison de la place des Vosges; ma ménagerie, mon petit cénacle poussa les hauts cris : « Comment! Avec ma célébrité, était-ce à moi de me déplacer pour ce vieil homme? » Je n'avais pas encore une hiérarchie très nette des valeurs. Je ne savais pas encore que s'il se trouve toujours dix personnes pour jouer un texte, il n'y a qu'une personne pour l'écrire. Je me laissais influencer et j'avais presque décidé de ne pas y aller quand Robert arriva et me rappela à temps ce qu'était un génie. Nous, comédiens, sommes des oiseaux, des perroquets; nous répétons plus ou moins fidèlement, plus ou moins bien, ce que quelqu'un d'autre a imaginé, pensé, créé, mais il m'avait fallu du temps pour m'en rendre compte. C'est un peu à contrecœur que je me rendis à l'invitation d'Hugo; mais c'est sur un coup de cœur que je restai chez lui : subjuguée par cet homme qui était laid, qui était vulgaire, qui était lourd, qui avait l'œil paillard et la bouche sans beauté (sa voix, seule, était belle, quoiqu'il dît mal ses propres vers). Mais... il était le génie! Comment expliquer? Il n'était qu'un peu au-dessus des autres mais ce peu était énorme, en tout cas m'était sensible.

Mon admiration pour lui alla croissant de jour en jour. Et le soir de la première, le 16 janvier 1872, grâce à lui, après avoir été jusque-là la petite fée des étudiants, je devins brusquement l'idole du public. Je fus la reine d'Hugo, sa reine condamnée et amoureuse – et je le fus assez bien pour que cela fît un triomphe et

105

que je devienne la Reine de Paris, sa reine triomphante et comblée. Le public perdit la tête, me rappela interminablement. J'étais debout devant cette foule délirante qui hurlait enfin mon nom : « SA-RAH! SA-RAH! » Je regardais ces visages si blancs et si anonymes dans le noir et auxquels les lumières de la salle, peu à peu, rendaient en montant un teint et une identité... J'en vis beaucoup, ce soir-là, qui ne m'aimaient pas, pourtant, mais semblaient transportés et fous de moi. « Tiens, me dis-je, tu as ce que tu voulais... Regarde! » Et j'eus envie de rire. Les couloirs furent submergés et Hugo, un genou à terre, me dit merci. Je le trouvai beau, tout à coup. Je vis qu'il avait le front large, que ses cheveux étaient d'argent, que ses yeux étaient rieurs et lumineux. Je fus subjuguée par lui comme lui-même l'avait été par doña Sol. Dehors, mes étudiants m'attendaient : ils avaient dételé mes chevaux et ils traînèrent ma voiture jusque chez moi, jusqu'à la rue de Rome.

Je ne pus pas dormir de cette nuit-là; je crois que ce fut la plus longue nuit de ma vie. J'étais officiellement la grande actrice que je savais pouvoir être, que j'avais tant voulu être, mais que je n'avais jamais été jusque-là que pour moi-même.

Françoise Sagan à Sarah Bernhardt

Je vous reparlerai un jour, si vous le permettez, de votre premier triomphe. Mais je voudrais vous poser une question... moins intime en fait, c'est mon devoir de biographe : entre vous et Hugo, qu'y a-t-il eu? Dieu sait qu'il était paillard et amoureux des femmes!... J'espère que vous n'étiez pas trop sensible à son absence de beauté? Vous parlez volontiers de son génie, mais entre vous et ce génie, que s'est-il passé?

106

Sarah Bernhardt à Françoise Sagan

Eh bien, pour une fois, vous ne le saurez pas!
Voilà! Imaginez ce que vous voulez! On ne prête
qu'aux riches, n'est-ce pas? Alors, amusez-vous à
chercher...

Françoise Sagan à Sarah Bernhardt

Bon, bon, bon, bon... Tout cela, ce sont vos affaires.
D'ailleurs, tout est votre affaire et je ne saurai de vous
que ce que vous voudrez bien me dire, bien entendu.
Personnellement, je mettrais ma main au feu que vous
avez eu une histoire avec cet homme. Ce n'était pas un
gaillard à laisser passer une jolie femme, et vous
l'étiez, je le sais. Vous aviez les yeux jaunes, les
cheveux roux, cette grâce, cette allure, cette rapidité
que donnent à la fois la célébrité, l'assurance, la gaieté.
Et ce rire... Comment aurait-il pu résister à ce rire?
Allons... Allons... Dites-moi ce que vous voulez,
refusez de me dire ce que vous voulez, mais moi,
je sais.

Sarah Bernhardt à Françoise Sagan

Eh bien, sachez! Sachez ce que vous voulez, veux-je
dire.
En attendant, après *Ruy Blas*, je devins son amie
intime. Je rencontrai Juliette Drouet – la pauvre
femme – qui souffrait beaucoup de ses absences; mais
j'étais personnellement très heureuse : je pensais au
temps que j'avais perdu avec des crétins élégants alors
que j'étais entourée, sans le savoir, de tous ces hommes
supérieurs! (Même en le sachant – cela dit –, je me
rappelle avoir un jour, au beau milieu d'une conversation, lâché Victor Hugo pour aller retrouver un joli
nigaud du Jockey Club! Vraiment!...)
Néanmoins, grâce à Hugo, je rencontrai Gautier,

Paul de Saint-Victor, dix, cent, mille hommes, qui étaient des hommes de tête et non des hommes d'habit. Cela fait une différence extrême pour une femme comme moi.

C'est au cours d'un de ces banquets que je vis mourir de Chilly, foudroyé tout à coup, au milieu d'une phrase spirituelle. Il s'effondra sur son assiette, je tentai de le relever, je lui dis :

– Voyons, Chilly, vous plaisantez!

Il ne plaisantait pas, il était mort. J'avoue que cela me fit très peur. Je n'imaginais pas qu'on pût mourir autrement que dans un lit de mort; je n'imaginais pas qu'on pût être frappé par cette faux en pleine gaieté, dans un banquet ou dans un spectacle. Le luxe, le faste, l'amusement, la comédie, les apparences me semblaient autant de paravents inflexibles devant la mort. Eh bien, non! Elle s'infiltrait jusque-là.

J'en fus témoin d'une manière plus personnelle et plus atroce avec ma sœur Régina, qui mourut dans mon lit où je la veillai pendant des mois du fond de mon cercueil – tant ma chambre était petite. Elle dormait dans mon lit et mon charmant cercueil capitonné put me permettre de m'allonger près d'elle. Le jour où elle mourut, les pompes funèbres se trompèrent et elles faillirent emmener un cercueil au lieu de l'autre. Cela fit un scandale dont on n'a pas encore cessé de parler. Ce n'était pourtant qu'un endroit où je dormais tranquillement et d'où je veillais ma sœur. Régina mourut de ses excès : elle avait toujours eu un langage de cordonnier, des mœurs de cordonnier, une vie de cordonnière. Elle alla de débauche en débauche, se mit à user de ces drogues qui, si elles remplacent la vie, finissent quand même invariablement par vous l'enlever. Régina avait toujours été fermée et sauvage, et cette violence, jointe à un physique assez singulier, assez superbe, la menèrent au pire. Elle mourut malgré elle et malgré moi, mais pas malgré la nature, cela est sûr.

Son enterrement fut spectaculaire – et j'y fus, dit-on, spectaculaire; et pourtant, je ne sentais rien. Après ces nuits et ces nuits de veille et d'horreur, je ne sentais plus rien. Je n'ai jamais pu avoir le sentiment qu'il fallait au moment où il fallait; si je pleurai ma sœur, ce fut plus tard, bien plus tard, et je ne le dis à personne. Sur le coup, il m'avait semblé que ce n'était qu'un accident, une nuit de veille un peu plus longue que les autres. Je n'ai jamais eu – et je n'ai jamais voulu – à m'expliquer ni m'excuser de mes chagrins, de mes absences de chagrin, pas plus que de mes plaisirs ni de mes absences de plaisir. On n'a pas à parler de sa sensibilité, ni à s'en vanter ni à s'en accuser, je crois. Rien ne me fera changer d'avis à ce sujet. Mais, peut-être, m'accusez-vous aussi de froideur...

Françoise Sagan à Sarah Bernhardt

En aucun cas je n'oserai le faire. De quel droit vous accuserais-je de quoi que ce soit? Je sais bien ce que c'est que ce froid, ce gel, cette absence que l'on peut ressentir parfois devant ce qui devrait être le plus émouvant et le plus insupportable des événements. Quelqu'un vous reproche cette absence et l'on devient folle de colère. Je ne le sais que trop; et vraiment ce n'est pas moi qui ferais grief à vous ni à personne.

Sarah Bernhardt à Françoise Sagan

Très bien, nous voilà donc d'accord une fois de plus... Là-dessus, je passai à la Comédie-Française, je quittai l'Odéon bien que je n'en eus pas le droit, et sans même en prévenir Duquesnel ce qui est, je pense, la plus affreuse traîtrise de mon existence. C'est-à-dire que ayant demandé à de Chilly ce qu'il m'offrait, il ne me répondit que par des phrases vagues ou des sarcasmes, au moment même où je recevais une lettre de la Comédie-Française qui m'invitait chez elle.

La Comédie, il faut bien vous en rendre compte, était à l'époque ce qu'il y avait de plus sublime, de plus riche, de plus honorifique, pour une comédienne. Il y avait tous les rôles : tout Racine, tout Molière, tout! Tous les grands rôles se jouaient là, c'était le théâtre le plus prestigieux, le plus extraordinairement célèbre de la planète. Refuser d'y entrer correspondait à refuser le firmament, à refuser la première place. Il n'empêche que je signai un peu trop vite et que Duquesnel – qui m'avait aidée toute sa vie, et qui continuait de le faire – Duquesnel fut horriblement froissé quand je lui montrai mon contrat déjà signé. Lui me demanda des larmes, du remords, et il les eut. De Chilly, lui, me fit un procès et me demanda (le pauvre, avant de mourir) des compensations, qu'il eut aussi. Il avait bien raison, d'ailleurs, car je m'étais mal conduite vis-à-vis de la loi et vis-à-vis d'eux-mêmes. Je payai donc. Je payai cher, mais je payai!

A la Comédie-Française je jouai *Hernani* où je fus, bien entendu, doña Sol. Je tombai naturellement, en tant que doña Sol, sur un Hernani qui était Mounet, Mounet-Sully le brigand; et c'est là que je rencontrai, additionnés en un seul homme, et le plaisir et le métier.

Mounet-Sully était, avec moi, le comédien le plus connu de l'époque; nous n'avions jamais joué ensemble et notre coup de foudre fut aussi violent, aussi partagé et aussi immédiat qu'il devait l'être. C'était l'homme le plus beau de sa génération; il était grand, vigoureux, il avait le port de tête, le regard le plus altier et le plus juvénile qu'on puisse imaginer. Mounet était du Sud-Ouest; il en avait l'élan, la générosité, la gentillesse; il avait tout ce qu'un homme un peu enfantin, un peu extraverti, un peu sincère, un peu honnête peut avoir dans sa virilité, ce que je n'avais pas connu jusque-là; j'avais connu des Charles Haas, j'avais connu des Keratry, j'avais

connu des jeunes gens, j'avais connu des gentilshom-
mes, j'avais connu des intellectuels, j'avais connu des
poètes, j'avais connu mille hommes – non, disons
cent hommes! – très différents mais jamais un
homme aussi rigoureusement voué à son métier,
aussi enfantin et aussi mâle que Mounet. Je crus un
moment que mon destin était enfin dessiné, fixé,
comblé avec un seul être, qui était Mounet. On
n'imagine pas ce que c'est, pour une femme, que
d'offrir sa main à baiser devant mille personnes à un
homme dont elle a mordu le cou huit heures plus
tôt, dans le noir... Il y a des plaisirs assez extraordinaires dans l'existence...

Malheureusement, on n'imagine pas non plus ce
que c'est que de s'entendre dire, à 8 heures du soir
et devant mille personnes, les vers les plus beaux, les
sentiments les plus nobles, les plus poétiques, et
d'entendre à minuit et en tête à tête le même homme
vous dire des sottises ou des lieux communs. Car,
hélas, Mounet-Sully était sot. Exquis mais balourd.
Et, malheureusement, j'étais aussi habituée à des
Keratry et à des Charles Haas!

Françoise Sagan à Sarah Bernhardt

Ce qui me plaît bien, chez vous, c'est que vous savez
que les contradictions vont avec l'intelligence; le coup
de foudre était « un monument d'ennui », par exemple
au début de votre récit, qui devient là « un raz de
marée ». Et vous chantez dans la même foulée les
supériorités de l'intellect sur le physique, comme le
contraire! Pour moi qui passe mon temps à changer
d'avis, c'est une bénédiction que de vous écouter. J'en
ai de plus en plus d'affection et d'estime pour vous,
permettez-moi de vous le dire. Quel dommage que
nous ne nous soyons jamais connues! Je vous aurais
écrit des pièces et nous nous serions horriblement
disputées...

Sarah Bernhardt à Françoise Sagan

Vous, vous m'auriez écrit des pièces? Eh bien, ç'aurait été du joli! Je m'y vois d'avance, dans vos pièces modernes! Il semble qu'une de mes malheureuses consœurs a joué une pièce, récemment, où elle est peu à peu engloutie des pieds jusqu'à la taille au premier acte et de la taille à la tête au second; vous pourriez me payer cher pour jouer ce genre de théâtre! Même avec une jambe en moins, vous n'y parviendriez pas.

Françoise Sagan à Sarah Bernhardt

Mais non, mais non! Attention, nous ne parlons pas de la même chose. Vous parlez d'un nouveau théâtre qui est effectivement, depuis quelque temps, joué à Paris comme dans le monde entier et qui est un théâtre plus original et plus intellectuel que le mien. Moi, j'écris des pièces où les gens se disputent, se cachent qu'ils s'aiment, se battent en duel, font et disent des bêtises. C'est, je dirai, un théâtre plus facile. Quel genre de rôle aimeriez-vous jouer? Une grande duchesse? Une mendiante? Une folle? Une quoi?

Sarah Bernhardt à Françoise Sagan

Je voudrais jouer une pièce qui soit écrite, point final! Quant au rôle, ce n'est pas à moi de le choisir, c'est à vous de l'écrire. Je suis spécialiste de tout; c'est ainsi que doit être une actrice. Je détesterais qu'on écrive un rôle pour moi; je ne suis que la servante des auteurs dramatiques, c'est tout.

Françoise Sagan à Sarah Bernhardt

Bravo! Bravo! Mais entre nous, à partir de votre triomphe, combien de pièces avez-vous joué qui n'aient pas été écrites pour vous? Je vous trouve bien ingrate envers le pauvre Sardou et autres...

Sérieusement, mis à part les pièces du répertoire, qu'est-ce qui n'a pas été écrit pour vous?

Sarah Bernhardt à Françoise Sagan

Pourquoi « à part celles du répertoire »? Vous ne croyez pas que Racine ou Corneille aient pu avoir un pressentiment à mon sujet? Et Shakespeare? N'ont-ils pas pu imaginer que j'existerais un jour et que c'est moi qui jouerais leur *Hamlet* ou leur *Phèdre*? Allons, allons! Vous manquez d'imagination et d'instinct.

Françoise Sagan à Sarah Bernhardt

Égalité! Au tennis, on dit « égalité »! J'aime mieux ne pas continuer, vous auriez vite fait de prendre l'avantage, et le set tout entier. Bien! Je renonce donc à mes projets théâtraux avec vous. N'empêche que, si j'en avais eu le courage, nous nous serions quand même bien disputées! Car, au milieu de votre entourage, qui vous baisait les mains et les pieds et vous expliquait du matin au soir que vous étiez la plus géniale, j'imagine que la moindre réserve eût sonné comme un blasphème. Ou je me trompe?

Sarah Bernhardt à Françoise Sagan

Vous vous trompez, une fois de plus! Ma cour! Ma cour! Parlons-en de ma cour! Vous savez ce que c'est « la cour », non, de quelqu'un d'intelligent (enfin, un peu intelligent)? C'est une bande d'intimes qui, sous le prétexte qu'ils ne veulent pas être courtisans, justement, passent le temps à vous dire vos vérités. Est-ce fini, ces discussions stupides? Voulez-vous que je vous raconte le reste de ma vie, oui ou non? Déjà cela ne m'amuse pas follement; si, en plus, vous passez votre temps à m'interrompre avec des lieux communs...

Je continue. En attendant de me disputer avec vous, je me disputais avec Mounet-Sully. Le malheureux garçon avait beau m'offrir régulièrement son cœur et sa main, il touchait les mêmes cachets que moi et nous n'aurions pas pu, avec nos salaires réunis, mener la vie que je menais. Il ne voulait pas s'en rendre compte, mais moi qui le savais, j'étais obligée de remplacer parfois ses étreintes par celles, plus argentées, de quelque admirateur. De toute façon, entre nos loges et la scène, nous passions sensiblement près de six heures l'un en face de l'autre ou l'un à côté de l'autre; et souvent, après la représentation, il arrivait que, transportée par son jeu ou par le mien, et voyant encore en lui un Hippolyte ou un Armand Duval, je le laissais me raccompagner à la maison – où, hélas, il redevenait le gentil Mounet. Bref, nous passions près de douze heures ensemble régulièrement et je n'allais pas, en plus, passer toute la matinée et tout l'après-midi? C'est trop pour un seul être humain. Il me fallait, ne serait-ce que pour respirer (et en dehors de toute question financière), passer quelques heures, l'après-midi, avec un esprit plus délié, ou un amant plus léger.

Il me fallait mille précautions pour retrouver ces amants de passage, ces indispensables accessoires; car Mounet me surveillait, tout Paris me surveillait avec lui. Tout Paris trouvait notre couple idéalement romanesque. Nous avions le plus grand succès qu'on puisse imaginer, lui et moi, et tout Paris se réjouissait de notre idylle. J'en étais arrivée à me promener non seulement avec une épaisse voilette mais avec un chapeau si affreux que personne n'eût pu imaginer que mon visage était dessous. Voilà où j'en étais arrivée.

Cela n'empêcha pas Mounet de savoir, un jour, que je sortais du lit d'un autre. Ce fut affreux. Nous jouions *Othello*. Enfin, il jouait Othello et moi Desdémone. Je dois dire qu'à l'instant où il me jeta sur le lit et me couvrit le visage avec un oreiller, après la violente scène qu'il m'avait faite en tant que Mounet, à l'entracte, je fus prise d'une véritable panique; je me mis, malgré le mutisme requis par mon rôle, je me mis à piailler sur un ton absolument hystérique qui dut surprendre les quelques connaisseurs de Shakespeare.

– Laissez-moi! (criai-je, en le vouvoyant quand même). Laissez-moi! Vous avez tort, je n'ai jamais rien fait avec ce garçon, je vous le promets! Vous vous énervez pour rien, mon cher Othello (ajoutai-je à toute vitesse), vous vous montez la tête, etc.

Quand je repense, aujourd'hui, au texte que je débitais ce soir-là sur la scène et qui était plus de Feydeau que de l'admirable Shakespeare, j'en ai encore le fou rire; mais, sur le coup, je ne m'amusais pas du tout. Je n'avais aucune envie de mourir, je m'en rendis compte une fois de plus et un instant, cela me parut possible. Dieu merci, le régisseur était de mes amis; il surveillait Mounet et quand il m'entendit bramer : « Mais tu vas finir par m'étouffer pour de bon, noble Maure! » il baissa le rideau, privant ainsi le public des remords d'Othello et de ceux, peut-être, de Mounet; et me privant moi-même d'une fin exemplaire pour une comédienne. Je lui en eus toujours beaucoup de reconnaissance.

Françoise Sagan à Sarah Bernhardt

C'est drôle; vous avez vécu plus de deux ans, je crois, avec Mounet-Sully et vous n'en parlez pas un instant dans vos Mémoires. Pourquoi?

Sarah Bernhardt à Françoise Sagan

Parce que c'était un homme charmant, bon, généreux et tendre, parce que je l'ai maltraité ; je l'ai rendu malheureux, je l'ai trompé, et je ne m'amuse pas plus maintenant qu'alors à le rendre ridicule. A ma décharge, j'avais à peine trente ans. Je vous parle de la fin de ma carrière là-bas, dans cette fameuse Comédie-Française. Entre-temps, j'y avais quand même joué les plus beaux rôles que puisse rêver une comédienne : j'avais joué en 1873 le rôle d'Aricie et l'année suivante, en 1874, le rôle de Phèdre ; à vingt-cinq ans à peine passés, j'avais joué Phèdre ! Que demander de plus à la vie pour une comédienne ? Il ne me manquait véritablement plus rien.

Françoise Sagan à Sarah Bernhardt

Il ne vous manquait rien, en effet, sinon le sens de l'arithmétique ! Si je ne me trompe, vous aviez joué *Ruy Blas* en 1872, et effectivement le rôle d'Aricie dans *Phèdre* en 1873, et effectivement le rôle de Phèdre en 1874. Étant née en 1844, cela vous faisait, je crois, trente ans. Quant à votre Desdémone, que vous avez incarnée en 1878, elle avait forcément trente-quatre ans. Je ne dis pas qu'il était plus grave de faire souffrir Mounet-Sully à trente-quatre ans qu'à trente, ni moins admirable de jouer Phèdre à trente ans qu'à vingt-cinq ; mais enfin toutes ces erreurs vont dans le même sens ! Avez-vous encore besoin de vous rajeunir ? Aujourd'hui, vous êtes immortelle. N'est-ce pas curieux de votre part, chez un esprit aussi fort que le vôtre, ces petites coquetteries ?

Sarah Bernhardt à Françoise Sagan

Ce que je trouve curieux, Madame, c'est que ce soit moi qui doive vous donner des leçons de mathématiques, car sachez-le, quand on est une vraie comédienne et qu'on joue Phèdre, on a à la fois dix-huit ans et cent ans. Alors ces demi-mesures, trente ou vingt-cinq ou trente-quatre, qu'en sais-je? Je vous trouve bien mesquine de me chercher là des querelles de concierge. Je trouve cela bien décevant, venant de votre part; et ma déception est sûrement égale à la vôtre, sinon supérieure.

Françoise Sagan à Sarah Bernhardt

Chère Madame (puisque nous en sommes revenues aux « Madame »),

Ne croyez pas un instant que j'aie été déçue par vos à-peu-près; je n'étais qu'amusée. En revanche, je serais désespérée de vous avoir, moi, déçue par ces comptes d'apothicaire – qui, je l'avoue, en effet ne prouvent rien. Mais pensez à mes efforts désespérés pour donner quelque sérieux, quelque exactitude à notre entretien! Pensez au nombre de vos admirateurs, au nombre de mes censeurs qui vont me tomber dessus lorsque je publierai notre présent échange épistolaire! Pensez à mes oreilles et à mon dos sous cette pluie de bâtons et de quolibets! Supportez que je mette quelques dates par-ci, par-là, comme on met des truffes dans un pâté, parfois, en priant que leur parfum fasse oublier la bizarrerie ou le disparate de ses ingrédients...

Sarah Bernhardt à Françoise Sagan

Bien! Je vous pardonne une fois de plus! Mais n'oubliez plus jamais – ni entre nous ni dans votre vie à venir – que la vérité n'a strictement rien à voir avec l'exactitude; elle a déjà peu de chose à voir avec les faits eux-mêmes! Alors, avec leurs dates!... Laissez-moi rire! Et référez-vous donc à votre bien-aimé Marcel Proust : si mes souvenirs sont bons, le Temps (avec un grand « T ») était en effet à ses yeux le seul maître de nos vies, mais il en était aussi le maître le plus brouillon, si je ne me trompe?... En tout cas, il le fut aussi de la mienne. C'est vers cette époque que je partis triompher en Angleterre, en 1879, je crois.

Mais avant de parler de Londres, je devrais vous raconter ce qui s'était passé avant; il s'était passé que j'étais devenue brusquement célèbre à Paris, d'une célébrité qui n'était due, hélas, qu'en partie à mon interprétation dans *Ruy Blas*. Outre ce succès théâtral, il m'était arrivé diverses péripéties : ma maison avait donc flambé, la Comédie-Française m'avait donné à créer une pièce d'Émile Augier, exécrable, où je n'avais eu qu'un succès chuchoté – mais avais tempêté à tue-tête. Et un journaliste en mal de copie avait raconté que j'avais débauché notre grand génie Victor Hugo, comme si celui-ci eût été débauchable encore après douze ans (époque où, vous me le concéderez, je n'étais même pas née). Les gazettes me prêtant, chacune de son côté, un amant différent, j'étais devenue célèbre, mais scandaleusement célèbre. Et si les curés parlaient de moi en chaire, c'était pour me vouer aux gémonies, suivis en cela des dames de grande vertu, voire même de petite. J'étais devenue un démon repoussant pour les unes, mais l'objet du désir de beaucoup d'autres, fort heureusement! J'étais l'incarnation de la « femme fatale » et, comme cette idée me mettait en joie, j'étais, de plus, une femme cynique. Cela faisait beaucoup... Enfin, lorsque je jouais, la location affichait complet et quand je ne jouais pas, à peine la moitié – ce qui faisait trépigner mes petites camarades du Français. J'oublie que je m'étais fait une excellente amie dans la personne de Louise Abbéma, femme peintre de grand talent et personnalité exquise, mais qui avait le défaut de ressembler furieusement à un amiral japonais et de s'habiller comme tel. On disait pis que pendre de Louise, et le fait qu'elle fût devenue mon amie semblait rendre ses habitudes encore plus contre nature. La malheureuse femme m'adorait; elle était prête à donner sa vie, m'avait-elle déclaré, pour passer une nuit avec moi. Mais je trouvai ce prix tout à fait excessif. Je n'ai jamais eu de facilité à trouver scandaleuses les amours d'autrui – pas plus que les miennes; les seules qui me scandalisent vraiment sont les amours malheureuses ou les amours contrariées. J'ai vu assez de viols légaux accomplis chaque soir sur leur femme par des butors ou des pervers, dans les milieux bourgeois, pour que les amours heureuses d'un enfant de chœur et d'un curé me paraissent, sinon plus « normales », au moins plus humaines. On me prêtait des perversions, des programmes nocturnes – ou diurnes – qui eussent dépassés les forces de dix satyres. C'était à se demander où je pouvais trouver le temps de jouer la comédie, voire de me nourrir (le sommeil m'étant, à première vue, complètement interdit). Bref, par un de ces phénomènes de boule de neige comme on n'en connaît qu'à Paris, j'étais devenue du jour au lendemain la femme la plus irrésistible et la plus diffamée de la ville.

La pièce d'Augier avait donc fort mal marché. Je l'avais prédit, dit et redit. Je n'avais pas eu même le temps de la répéter, l'auteur n'ayant pas pris peut-être le temps de terminer réellement ce texte infect; il eût été d'ailleurs fort inquiétant que j'y fusse bonne : j'y fus mauvaise mais sans soulagement car les journaux me le reprochèrent; ce que je reprochais à mon tour au directeur de la Comédie-Française – Monsieur Perrin –, qui passait son temps à me gâcher l'existence. Or, que mes camarades sociétaires et pensionnaires fussent jaloux et jalouses de moi me paraissait normal; mais que lui, dont les recettes doublaient invariablement lorsque je jouais, que lui-même me le reprochât presque!... cela me paraissait un peu fort! Je le quittai avec fracas, comme d'habitude, et, comme d'habitude, sans en avoir le droit. Et la Comédie-Française me fit à son tour un procès!

La « Maison de Molière » me vit donc partir – comme j'y étais entrée tout d'abord, comme j'en étais sortie après, comme j'y étais revenue ensuite et comme j'en ressortais à présent –, en remuant beaucoup d'air et en claquant bien des portes au milieu des imprécations. Mais pour moi, cela n'avait pas été inutile, loin de là : car j'avais rencontré Racine, j'avais joué *Phèdre* et j'avais juste auparavant connu Londres. Connaissez-vous Londres, au moins? Car avant la fin de tous ces drames dont j'avance un peu la conclusion, nous avions été, toute la troupe, sous l'égide de la Comédie, jouer à Londres.

Londres est la seule capitale au monde où la société, la haute société, ait de l'imagination. On s'amuse à Londres avec le prince de Galles, avec lord et lady Dudley, avec lady Cumberman, avec le duc d'Albany et avec cinquante aristocrates, cinquante femmes et hommes du monde qui ont le bon goût d'être fous et aussi cocasses et extravagants qu'on peut l'être parfois en France en d'autres milieux. J'étais venue à Londres avec toute la Comédie mais je dois avouer que j'y fus mieux reçue que mes compagnons et ce fut Londres qui paracheva ma renommée française en lui donnant une teinte internationale. Et un impresario américain connu comme le loup blanc – mais comme un requin noir dans tous les milieux de Broadway – en profita : Edward Jarreth était appelé « le Bismarck des Managers », le plus célèbre impresario du monde anglo-saxon. Il était venu me voir à Paris avant notre départ pour Londres et m'avait offert des sommes folles pour jouer quelque peu dans les salons londoniens après les représentations du théâtre. J'avais accepté, parce qu'il était convaincant, et parce que ma situation était elle-même un argument définitif. Je m'étais mis en tête d'acheter et de meubler un hôtel particulier dans la plaine Monceau qui était alors un quartier calme et charmant et Dieu sait comment, le fait de bâtir ces pièces et de les meubler, coûtait une somme tellement astronomique qu'aucun de mes protecteurs et aucun théâtre, à plus forte raison, n'était capable d'étancher ni de calmer la foule des créanciers qui s'alignait sur mes trottoirs. Je partis pour Londres comme on fuit une banqueroute; je partis pour Londres à la cloche de bois bien qu'avec les carillons de la gloire. Il faut dire que mon train de vie était plus onéreux qu'on ne l'imaginait : j'avais table ouverte, j'avais chambre ouverte, j'avais le porte-monnaie ouvert en même temps, je ne comptais pas, et comme vous le savez, c'est là le pire luxe : ne pas compter. On a beau ne pas compter, et ne pas vouloir compter, il y a toujours d'autres gens qui se mettent à compter à votre place, qui font des calculs extravagants dont il ressort toujours que c'est vous qui leur devez quelque chose. Cela se passa ainsi et je ne savais plus, vraiment, où donner de la tête avant de partir. Et Londres d'ailleurs, Londres toute seule, malgré la générosité et le faste de ses habitants, malgré les recettes étonnantes de la Comédie-Française, Londres non plus n'aurait servi à rien – s'il n'y avait eu le monde entier à m'attendre derrière la silhouette gigantesque de Jarreth. Jarreth était arrivé chez moi un beau matin, dans un costume à carreaux étonnant pour un Européen, et un visage également étonnant. Il était beau, avec les traits réguliers, et cet air sombre et buté de l'homme beau que sa beauté n'intéresse pas. Il y avait quelque chose en lui qui disait à la fois « imprenable » et « dommage », or vous savez que ma devise est : « Quand même. ».

Jarreth était un homme d'argent avant tout; et un homme de plaisir, parfois, qu'il payait froidement. Il avait pour principe de ne jamais mélanger ses affaires et ses amours. Aussi dès le début vit-il en moi – comme dans le charme que je pouvais avoir à l'époque – un danger fatal pour son entreprise financière. Ainsi détourna-t-il le dos et les yeux de mes chapeaux, de mon visage, de mon corps, de mes gestes, de mes histoires, de mes mensonges, de mes vérités, de tout ce qui me concernait. Il ne vit plus en moi que la bête à faire courir, que le cheval sur lequel miser, que l'actrice à faire jouer contre monnaie sonnante et trébuchante quoi qu'il arrivât à la femme que j'étais. Ajoutez au piquant de la situation que cet homme qui ne voulait pas voir mon charme était obligé en même temps de le vanter partout. Ajoutez que cet œil, froid quand il me parlait à moi, devait s'illuminer d'admiration quand il parlait de ma personne. Ajoutez tout ce que vous voudrez et vous arriverez à un étrange duo qui, peu de temps après Londres, partit pour New York bras dessus, bras dessous : officiellement, pour une tournée gigantesque avec Sarah et son cirque, Sarah Barnum (comme l'écrivit ma douce amie Marie Colombier que j'avais fait engager pour la circonstance et qui devait me le faire payer cher, comme d'ailleurs tous mes cadeaux ultérieurs). J'avais emmené ma Petite Dame, j'avais emmené ma troupe, dont le jeune Angelo qui devait jouer les jeunes premiers sur la scène, et dont la troupe entière prétendait – non sans quelque exactitude – qu'il les jouait aussi dans mon lit. En fait, j'avais surtout engagé Angelo parce qu'il était beau et que je voulais rendre Jarreth jaloux; mais cela, je ne pouvais l'expliquer à personne. Pour une fois je ne pouvais faire de confidences à qui que ce soit car Jarreth avait une oreille extraordinaire; et c'est un vrai duel, un duel de fauves – donc un duel silencieux – que nous devions nous livrer sur ce bateau et sur cette terre inconnue. Oh! j'ai l'air de romancer..., de romancer..., j'ai l'air de faire du romanesque à tout vent et de me servir de l'Océan, de l'Amérique, pour faire un roman épique d'une liaison tout à fait banale... Mais, croyez-moi, ce fut une sérieuse histoire que celle-là!...

Jarreth était un homme d'affaires remarquable. On avait l'impression, à l'entendre, qu'il était un nabab; je crois qu'il était en réalité un jongleur admirable. Il avait un compte ouvert dans chacune des banques du continent, pourtant il arrivait que tous ces comptes soient en même temps au rouge. Personnellement, cela ne me dérangeait aucunement (je trouvai ces cabrioles et ces retournements audacieux et admirables quand je les eus enfin compris). Mais au début, je le pris pour ce qu'il affectait d'être, c'est-à-dire un homme fort riche. Je fus donc plutôt surprise de voir sur quel navire il comptait nous emmener, ma troupe et moi, en Amérique. C'était un vieux bateau qui s'appelait *l'America* et qui avait fort mauvaise réputation. Il avait deux ou trois fois frôlé la catastrophe et manquait couler à chaque coup de vent. Il n'y avait guère que moi qui soit un peu rassurée sur notre avenir. Le reste de la troupe me suivait les yeux fermés, quitte à claquer des dents. Il n'y avait que mon jeune amant de l'époque, le bel Angelo, qui semblait ravi de ces péripéties. J'avais – en plus de la raison donnée plus haut – choisi Angelo pour deux autres raisons : d'une part il était fort bon comédien, d'autre part il était un amant exquis, attentionné et charmant, doué d'un certain humour qui le rendait facile à vivre et agressif quand il le fallait. Bien entendu, la troupe entière jasait sur lui. Enfin (et cela, inconsciemment peut-être, avait-il guidé mon choix), enfin il était l'antithèse complète, physiquement, de Jarreth. Il était aussi latin, aussi souple, aussi drôle et amusant que Jarreth était massif, grand, celte et sévère. L'indifférence que me témoignait Jarreth commençait déjà à m'ulcérer et je voulais lui faire comprendre, assez sottement sans doute, que moi-même j'avais pour les hommes des critères qui ne l'englobaient pas.

J'emmenai donc au Havre toute ma petite ménagerie à laquelle, au dernier moment – ma sœur Jeanne étant malade – j'adjoignis la vipère, la douce Marie Colombier (pauvre et fielleuse créature! Je ne sais même pas où elle est enterrée!) Mais enfin elle m'en fit voir, de son vivant, suffisamment pour que je me rappelle son nom.

J'avais prévu de faire des répétitions avec ma troupe sur le bateau, mais un léger alizé contrariant *l'America*, notre bateau s'était mis à rouler d'un bord sur l'autre, ce qui rendait toute répétition impossible. N'étant pas sujette au mal de cœur, je passai les quatre premiers jours du voyage dans ma cabine avec Angelo, pour notre plus grand plaisir à tous les deux. Puis je me levai et parcourus le pont, mais sans y trouver le moindre comédien : ils restaient tous sur leurs couchettes, en proie aux pires nausées. (J'adore la mer ; je crois que c'est là sur ce bateau ivre que j'en pris le goût frénétique qui devait me faire plus tard acheter Belle-Ile et ses rochers.) Je croisais sur les promenades l'impassible Jarreth plongé dans des calculs faramineux d'où il ressortait que nous reviendrions milliardaires – pour le moins – de la somptueuse Amérique. L'*America*, elle, continuait à se coucher sur chaque vague. Aussi est-ce quand même légèrement fatigués que nous arrivâmes au port de New York. J'étais attendue en Amérique, en effet, comme l'avait dit Jarreth ; seulement j'étais attendue non comme Sarah Bernhardt, actrice et comédienne du Français, mais comme Mrs. Lucifer elle-même ! Les journaux français étaient arrivés avant moi et avaient accompli leur douteuse besogne. J'étais l'ambassadrice et le symbole de l'Europe décadente et dépravée.

Cela dit, Jarreth avait le sens de la mise en scène. Le 27 octobre, à 6 h 30 du matin, lorsque *l'America*, dans un dernier effort, vint s'échouer sur le quai, une foule énorme y attendait ; et deux vedettes, l'une chargée d'officiels, l'autre de journalistes et d'un orchestre (celui-ci jouant une *Marseillaise* légèrement saccadée), abordèrent le navire. Je voulus rester dans ma cabine devant cet accueil démesuré, légèrement intimidée pour la première fois de ma vie, mais Jarreth m'en arracha au sens propre du terme. Il me saisit à bras-le-corps. Je commençai par me débattre dans la coursive mais il me tenait solidement ; et c'est la première fois que, le nez pressé contre son menton par la force des choses, je sentis ce fameux parfum qui devait m'obséder par la suite. Jarreth avait une eau de Cologne dont je n'ai jamais trouvé ailleurs l'équivalent : à base de santal, de tabac hollandais et de je ne sais quelle odeur, à la fois mâle et factice, qui était son odeur particulière et qui me portait littéralement aux sens. C'est dans cette coursive de bateau où il m'entraînait de force que j'eus pour la première fois la certitude que j'allais avoir une passade avec lui. Et c'est peut-être pour ça que, revigorée par cette idée, je pus me tenir droite dans mes fourrures (et même royale, me dit-on par la suite), devant des journalistes américains qui, illico, me submergèrent de questions plus éhontées les unes que les autres; si éhontées que je n'y trouvai d'autre parade que de tourner de l'œil une fois de plus contre la robuste poitrine de Jarreth. Il me remit dans ma cabine, impressionné par cette pâmoison et je pus enfin me faire transporter à mon hôtel.

C'était un luxueux appartement de l'hôtel Abermale. Le directeur, alarmé mais admiratif, avait fait porter dans le vestibule les bustes de Molière, de Racine et même de Victor Hugo – ce que je trouvai exquis. On m'emmena voir le pont de Brooklyn, qui était une chose étonnante; une impression de modernité, de vitesse, de danger, en même temps qu'un vacarme incroyable, montait de cette chaussée brûlante et scintillante. J'eus pour la première fois l'impression d'un nouveau monde, mais d'un vrai nouveau monde, très différent du mien, où on pouvait tout faire, tout essayer et tout commencer. Cela me grisa. J'oubliai que tous ces gens attendaient de moi le spectacle d'une dévergondée, d'une femme de peu et je me désintéressai soudain de tout ce qui n'était pas un moyen, une arme pour les conquérir.

Je jouai Adrienne Lecouvreur, le 8 novembre, à quarante dollars le fauteuil d'orchestre. Le public était donc fait d'amateurs de scandales : ils venaient voir la courtisane et non pas la comédienne. Je me lançai.

Les Américains avaient déjà vu, auparavant, Rachel jouer d'un air fort sévère quelques pièces de Racine. Ils ne s'attendaient pas à voir arriver une tigresse, ils ne s'attendaient pas à voir une séductrice jouer avec les feux de la rampe, jouer avec les vêtements qui flottaient autour d'elle, jouer avec sa coiffure, jouer avec ses mains, avec son corps, comme j'avais l'habitude de le faire à présent, comme je savais à présent le faire et comme je le fis ce soir-là. Mais surtout je jouai : j'étais en voix, peut-être grâce à ce vent de mer; j'étais en voix, j'étais en force, j'étais en pleine ambition surtout. Je voulais m'imposer en tant que comédienne plus peut-être qu'en tant que femme. Je voulais gagner. Et je gagnai. On releva le rideau vingt-sept fois. Je ne reçus jamais autant de fleurs sur une scène; j'y étouffais presque.

Le lendemain, je n'étais plus une bête curieuse, j'étais devenue une idole, j'étais la grande Sarah Bernhardt! Et l'Amérique était à moi. L'Amérique des hommes, car les Américaines n'avaient pas le naturel parfait ni la courtoisie des Anglaises. Il n'y eut donc que des hommes pour m'applaudir et pour me fêter partout. Mais ils le firent suffisamment pour que j'oublie totalement leurs épouses. Le commodore Vanderbildt, par exemple, vint pleurer chaque fois, dans la loge, à la Dame aux camélias; il vint à chaque représentation (c'est-à-dire trente fois) hoqueter et sangloter dans son grand mouchoir blanc (que je lui réclamai comme seul cadeau à la fin de mon séjour).

Ces premiers temps furent charmants; j'ai le souvenir d'un New York délicieux, d'une immense, exquise ville; d'une ville mâle. Je n'y vis que des hommes, et des hommes enthousiastes. Et qu'est-ce qu'une femme peut demander d'autre, après tout, à une ville, que d'être debout de tous ses monuments, de tous ses réverbères, de tous ses gratte-ciel et de tous ses mâles, tous au garde-à-vous quand elle passe? Cela promettait bien de la tournée. Et, en effet, la tournée ne fut pas mal du tout...

Cette tournée devait durer six mois, ce qui peut paraître fort long mais qui ne l'était pas, étant donné le nombre extravagant de grandes villes et de villes moyennes où Jarreth avait loué des théâtres pour moi. Il n'était pas question que je me défile un seul jour. «J'avais signé? J'avais signé!» Je crois que si j'avais avoué, un jour, le meurtre par ma main de mon régisseur et deux actrices, il n'eût pas bronché plus que cela. Mais si je lui avais dit : « Non, je ne jouerai pas ce soir, je suis fatiguée », il en serait resté paralysé de stupéfaction. « Mais vous avez signé », aurait-il rétorqué, et cela voulait tout dire pour lui, américain prêt à tout, cynique sans doute, parfois même sans scrupule, mais pour qui la parole donnée était la parole donnée. « Mais vous avez signé! mais vous avez signé! » : Je n'entendais que ça de lui. Et j'aurais eu envie d'entendre autre chose.

Je me remettais mal de cet incident de la coursive, en arrivant à New York, et de l'étonnant mélange de ce parfum si décadent, si raffiné et si curieux sur ce corps de cow-boy. J'aurais voulu connaître de plus près les racines de ce parfum inoubliable et je n'avais devant moi qu'un impresario bougon pratiquement frappé de mutisme, et dont je ne voyais le regard posé sur moi qu'à l'occasion de mes obligations professionnelles. Le public américain est l'un des publics les plus chaleureux qui soient et avec moi il était de surcroît enthousiaste, lyrique, déchaîné. J'allais de triomphe en triomphe; que ce fût dans les villes les plus snobs ou dans les bourgades les plus frustes, j'y trouvais des hommes prêts à me suivre à l'autre bout du monde et qui me le disaient avec cette ingénuité si américaine et si charmante; mais de cet homme qui me plaisait et qui ne me quittait pas d'un pas, je n'obtenais pas le moindre geste équivoque ni le moindre tremblement dans la voix ni le moindre trouble dans les yeux. J'en étais exaspérée et mes succès devenaient amers. Cela ne changeait rien à mon caractère ni à la formidable partie de campagne que j'étais en train de vivre. Les représentations à New York avaient dû être assez fructueuses, car autant notre paquebot avait été misérable, autant notre train était littéralement somptueux. J'y disposais de trois wagons, débordants de guéridons, de lits, de sofas, de lustres; tout un tralala comique et charmant, à la fois somptueux et démodé, qui traversait – avec des sifflements et un petit fil de fumée – qui traversait une nature gigantesque, des milliers et des milliers d'hectares de blé, des champs, des forêts à perte de vue. Ce petit train, dans cette nature énorme, devait faire l'effet d'un anachronisme extravagant. Nous avions une puissante locomotive qui frôlait parfois le soixante-dix kilomètres à l'heure et il nous arrivait de passer cinq jours à traverser des maïs et des maïs plus hauts que notre train, et cela ne laissait pas parfois de nous donner une sensation d'étouffement et d'exotisme plus grand que si nous eussions traversé la jungle. Ma petite troupe était de fort bonne humeur. À force d'ébahissement, Petite Dame avait la bouche ouverte perpétuellement. Angelo faisait beaucoup de progrès à la scène comme à la ville, c'est-à-dire sur les planches comme dans mon lit, et Jarreth fumait son cigare sans broncher tout en entassant ses dollars après chaque représentation dans chaque ville. De temps en temps, pour nous dégourdir les jambes, nous arrêtions le train car il n'y avait pas grande circulation sur les rails, et nous descendions dans un champ pour jouer à cache-cache ou à des jeux de balle ou à n'importe quelle sottise qui nous ramenait à notre enfance. Nous nous sentions vraiment des enfants perdus dans un pays trop grand. Nous nous sentions, malgré des horaires très fixes, aussi libres, aussi perdus et aussi solitaires que des orphelins heureux. Mon seul souci, pendant cette traversée gigantesque, fut une longue baleine, une pauvre bête morte et noire et luisante sur laquelle j'eus la faiblesse de monter et de me promener un jour de désœuvrement, et que son propriétaire, après, traîna fiévreusement partout après nous, nantie d'un écriteau où il était spécifié que je me faisais mes corsets dans ses baleines. Je n'en pouvais plus de voir cette bête; je finissais par en avoir des crises de nerfs. Mais j'avais beau avoir crises de nerfs sur crises de nerfs et m'évanouir de préférence dans les bras de Jarreth, cela ne me servait à rien. Mon puritain restait un puritain. J'aurais préféré qu'il fût moins bon homme d'affaires et qu'il eût les sens plus vulnérables. Et pourtant, sur la scène aussi, je me dépensais pour séduire Jarreth qui assistait, impassible, à toutes mes représentations. J'ai joué Phèdre comme elle ne fut sans doute jamais jouée. J'ai joué une Phèdre si provocante et si sensuelle qu'invariablement ce pauvre Hippolyte se faisait siffler ou le lendemain traiter d'impuissant dans les gazettes du pays parfois peu au courant de Racine. J'avais choisi pour l'Amérique une vingtaine de pièces qui avaient toutes un point commun, un seul : c'est que j'y mourais à la fin. Je n'arrêtais pas de mourir pendant toute cette tournée : je mourais empoisonnée, je mourais d'un coup de poignard, je mourais tuées par un autre, je mourais tuée par moi, je mourais tuée par le temps, par l'âge ou par le chagrin, et j'expirais en scène, chaque soir, faisant verser des torrents de larmes à toute l'Amérique et parfois même à mes compagnons de tournée. Tout le monde pleurait, même le régisseur; tout le monde sauf Jarreth qui me regardait l'œil sec, un petit peu humide parfois quand la recette était vraiment étonnante. Je l'aurais tué, lui, à ma place, tous les soirs. Il fallut une péripétie d'ailleurs proche d'une catastrophe, une péripétie qui frôlait la mort, la sienne et la mienne, pour qu'enfin je vienne à bout de son indifférence. Comme nous revenions vers les Rocheuses, en fin d'après-midi (je revois encore ce ciel rouge, ces montagnes gigantesques et grises dans le lointain et ces prés interminables qui nous en séparaient), comme nous roulions vers l'ouest, je sentis le train s'arrêter, et ce n'était pas, pour une fois, par un caprice de ma part, c'était pour une raison inconnue. Tout le monde somnolait un peu; c'était l'heure longue et tiède de l'après-midi où la troupe, mes fidèles serviteurs et mes fidèle compagnons, un peu épuisée par mes extravagances (car j'étais la seule, sans doute, à avoir une santé de fer, mis à part Jarreth, dans ce train) c'était l'heure où tout le monde allait se reposer un peu avant le dîner que nous prenions au champagne pratiquement tous les soirs. Je descendis sur la voie et allai jusqu'en tête du train, à pied, en sifflotant entre mes dents un air de *Lakmé* que je me rappelle encore. Ce fut pour trouver, sur le tender, en grande conversation et gesticulant, le mécanicien du train et Jarreth, qui avait enlevé sa veste; je voyais sa carrure gigantesque, ses épaules larges, ses hanches minces, ce corps d'Américain robuste dans le vent du soir, et ainsi, de dos, avec ses cheveux drus et brillants, je le trouvais superbe une fois de plus, et j'enrageais une fois de plus aussi. Quand il me vit, il me tendit la main et me hissa sur le tender. Je respirais l'odeur de transpiration du mécanicien, une autre odeur aussi que je reconnus pour être celle de la peur, odeur que j'avais déjà sentie pendant la guerre, et c'était la peur de la mort, une odeur bizarre, subtile, presque fruitée, une odeur que, me semble-t-il, même maintenant je reconnaîtrais du premier coup.

— Eh bien, dis-je, avec cette voix un peu fêlée que me donne le sentiment du danger, eh bien, que se passe-t-il? Ne doit-on pas jouer demain à Saint Louis?

— Si, dit Jarreth entre ses dents et sans me regarder. Si, justement, mais nous ne le pourrons pas, je le crains. Nous allons devoir faire un détour. Nous ne pouvons pas aller tout droit.

— Et pourquoi? redemandai-je.

Il y avait un pont, en effet, qui se dressait devant nous, passait par-dessus une rivière, et que l'on devinait très profonde à son simple bruit rocailleux et rauque comme un torrent.

— Venez avec moi, dit Jarreth.

Et suivie par le mécanicien qui marmonnait dans sa langue natale des phrases incompréhensibles, encadrée de ces deux hommes également gigantesques, je m'approchai du ravin. La rivière était très bas, au fond d'une gorge encaissée et très profonde. Mais le pont qui passait par-dessus et qui luisait dans ce soleil à contre-lumière, le pont semblait bien vieux en effet. Des poutrelles manquaient et donnaient une impression de légèreté assez effrayante.

— Vous voyez ce pont? dit Jarreth. Eh bien, plus personne ne peut passer. Il y a eu un orage, il y a deux jours, qui l'a mis à mal. Le mécanicien prétend que nous avons une chance sur quatre de passer dessus sans tomber là-dedans.

Je voulais à tout prix épater Jarreth, je l'ai déjà dit. Quand je veux épater quelqu'un, je ferais vraiment n'importe quoi. Aussi ne fus-je même pas étonnée de m'entendre répondre, de ma voix de tête cette fois-ci :

— Eh bien, une chance sur quatre c'est énorme! Il faut la saisir! Cet homme est disposé à la tenter, à condition que nous lui remettions maintenant une certaine somme d'argent qu'il confiera à un chemineau pour l'envoyer à sa femme s'il meurt.

Il avait une femme et un enfant dont il devait assurer l'avenir.

— Si nous la lui donnons, il essaiera de passer, et nous avec! Eh bien, voilà qui est réglé, dis-je en riant. Ce n'est pas une question d'argent, j'imagine, qui vous fait reculer, Jarreth?

Il se retourna vers moi et me regarda pour la première fois avec une sorte d'admiration dans ses yeux clairs. Il avait presque rougi. Une sorte de sourire flottait sur son visage si sérieux.

— Mon Dieu, dit-il, c'est que vous le feriez!

— Eh bien, dis-je avec assurance, eh bien, j'ai signé, j'ai signé, non?

— Vous n'avez pas signé pour mourir, reprit Jarreth, et vos camarades non plus.

— Ma troupe est ma troupe! dis-je avec une insolence et une inconscience parfaites. Ils ne peuvent que me suivre, et moi, cher Monsieur Jarreth, cher impresario, je suis prête. Il ne s'agit pas de faire attendre les populations de Saint Louis qui veulent me voir jouer *Phèdre*. Il me semble que nous n'en avons même pas le droit.

Jarreth me regarda, regarda le mécanicien qui nous regardait lui aussi tour à tour d'un air abasourdi, puis, sortant son portefeuille, en tira une somme d'argent qui me parut considérable en soi, mais misérable par rapport à ce qu'elle représentait pour ce pauvre homme, et la lui tendit. L'autre la mit dans sa poche sans un mot et repartit à pas comptés vers le tender. Les quelques pas qui nous séparaient de cette machine me parurent fort longs. « Suis-je folle ? me disais-je quand même. Suis-je folle ? De quel droit est-ce que j'emmène dans cette équipée sûrement mortelle toute cette bande de gens qui ont des soucis, des amours, des amants, des travaux, qui n'ont strictement aucune envie de mourir pour un de mes caprices, écrasés au fond d'un torrent américain. Mais suis-je folle ? »

Comme je me posais la question avec un peu plus de fermeté que d'habitude, je sentis la main de Jarreth prendre mon coude et me guider au milieu des pierres de la voie. C'était le premier geste un peu affectueux qu'il avait pour moi. Je levai la tête vers lui dans ma surprise, au moment où il penchait la sienne vers moi et il me regarda enfin comme un homme peut regarder une femme pour la première fois. Nous attendions un long, très long moment, devant ce pont. Il fallait que l'on charge les chaudières à blanc, que le mécanicien trouve un employé de confiance sur la voie, qu'il lui remette son argent et l'adresse de sa femme ; il fallait que nous reculions un peu pour accélérer notre course, etc. Ces minutes me parurent fort longues. Je ne prévins personne de ce train, sauf Petite Dame, Angelo et ma sœur, qui tous les trois, dans leur habituelle obéissance, leur habituelle résignation à mes frasques, ne bronchèrent pas à cette nouvelle, à ce nouveau caprice qui pouvait pourtant leur coûter la vie ! Je leur aurais dit : « Tiens ! Si nous allions faire un peu de canot sur le lac du bois de Boulogne ? » ils n'auraient pas été plus placides. Je décidai de laisser la troupe dans l'ignorance de la mort qui la menaçait sans doute et, malgré les quelques reproches que m'adressait ma conscience, j'allai me poster à la fin du train, sur la passerelle, en plein air. Au moins verrais-je la chute, si nous chutions! « Et puis, me disais-je, j'ai des remords, peut-être, mais, si nous nous écrasons, je n'en aurai plus! et si nous passons je n'aurai pas à en avoir!» Ce raisonnement paraîtra peut-être un peu étrange, ce fut pourtant vraiment le mien. Jarreth, lui, était monté sur le tender avec l'homme des machines, je le vis redescendre et revenir vers nous juste avant que le train ne s'ébranle. Il monta sur la passerelle avec ma sœur et moi et, dans un geste instinctif, je vis ma sœur Jeanne s'accrocher à son bras comme nous démarrions. Et ce fut lui qui mit la main sur mes épaules.

Il y eut d'abord un sentiment de glissade, ce sentiment de glissade habituel quand un train accélère sur des rails crépitants, et puis je sentis que nous abordions le pont à un léger sursaut de notre wagon. La vitesse et le tintamarre me semblèrent redoubler et je me rendis compte aussitôt que c'était le battement de mon sang dans mes oreilles qui m'assourdissait. Cela dura – cette traversée de pont – cela dura des siècles et une seconde à la fois. Je le sentis soudain plier sous nous, je sentis le parquet se dérober sous nos pieds et je pensai que c'était fini. « C'est fini!» dit ma sœur Jeanne d'ailleurs, d'une voix morte. La main de Jarreth se resserra un instant autour de mes épaules mais quand je le regardai, je vis son profil toujours aussi immobile. Comme un cheval qui rue pour se tirer des sables mouvants, la machine redoubla de vitesse et dans un craquement abominable, notre wagon s'arracha au vide. Je sentis que nous remontions un peu une pente et tout à coup j'entendis le bruit des roues sur la terre ferme, à l'instant où, derrière nous, à nos pieds, brusquement le pont s'effondrait et basculait dans le vide. J'eus une peur vraiment prodigieuse, je dois le reconnaître. Je fermai les yeux. Quand je les rouvris, j'étais toujours immobilisée contre le torse de Jarreth; je respirais à pleins poumons son odeur extravagante et captivante; ma sœur avait disparu à nos yeux et les mains de Jarreth prenaient possession de mon corps.

Il respirait très vite dans mes cheveux, comme un homme épuisé par une longue lutte, et je savais que son seul adversaire avait été lui-même. C'est un des souvenirs les plus violents, les plus éclatants et les plus cramoisis de ma vie que celui de ce soleil rouge et de la plate-forme arrière de ce train où cet homme m'embrassait si avidement, debout tous deux à l'arrière de ce train qui eût pu être notre tombeau et qui sifflait gaiement maintenant à travers la campagne!

En attendant, lorsque j'annonçai, pendant le dîner, à tous mes compagnons, qu'ils avaient failli laisser leurs os au fond d'un canyon dans les Rocheuses, ils me rirent au nez. Les témoignages de ma sœur et de la Petite Dame ne me servirent à rien. On jugeait la première trop peu fiable et la seconde trop crédule à mon égard. D'ailleurs, quand je questionnai la Petite Dame sur ses pensées pendant la traversée du pont, sur ses dernières pensées, elle me déclara tout uniment qu'elle avait, pendant cette mortelle minute, prié pour moi. Cela acheva de m'attendrir. Personne ne me crut donc, ce qui aurait dû me mettre hors de moi; mais pendant tout ce dîner, je sentis posé sur moi le regard brillant et fixe de mon impresario, qui attendait, comme moi, que le dîner finisse et que la nuit commence. A partir de là, l'Amérique, pour moi, ne fut plus qu'un paysage qui s'intercalait entre les nuits d'amour avec Jarreth.

Le retour au Havre fut triomphal. Il y avait des milliers et des milliers de gens sur les quais qui criaient mon nom, et parmi eux, il y avait ma petite troupe, il y avait mon amiral japonais, il y avait mille amis, et surtout il y avait Maurice qui vint se jeter dans mes bras à peine le bateau accosté. J'avais oublié à quel point il était blond, à quel point il était tendre mais je ne l'avais jamais oublié, lui, car je me rendis compte avec stupeur qu'il m'avait manqué chaque jour de ce voyage. Dans mon enthousiasme, je donnai au Havre un gala qui nous retarda de quelques jours, et je rentrai à Paris plutôt fière de moi, avec une somme d'or et d'argent considérable que m'avait pieusement remise Jarreth. Je rapportais près de deux cent mille dollars en pièces d'or que je m'étais fait payer cash et que j'avais confiés à la Petite Dame. La Petite Dame y veillait mais cela n'empêcha pas mille créanciers de se réveiller aussitôt et de venir brandir les notes sous mes balcons. Il est étrange que, lorsqu'on touche brusquement quelque argent, cela réveille tout le monde à chaque coin de la planète, tous les créanciers, veux-je dire. Paris, un moment, me fit grise mine. On ne savait rien de mon voyage là-bas, sinon par les récits fielleux qu'avait envoyés ma douce amie Marie Colombier au journal *l'Événement* et où elle n'avait parlé que de déboires et de déboires et de déboires. On me pensait ruinée, on me pensait en plein échec, on me pensait fichue. « On » étant les journaux, les ragots, les femmes, les gens, « on » étant tout sauf les hommes que je connaissais, les hommes de ma suite qui étaient tous plus enthousiastes (à mon sujet) les uns que les autres ; je tombai amoureuse un temps du beau Pozzi, mon chirurgien. (Je dois dire que j'avais oublié Jarreth, à peine l'Atlantique passé. Je crains que la beauté de cet homme me l'ait fait paraître mystérieux alors qu'il n'était qu'ennuyeux – mais cela est le privilège de la beauté.)

Néanmoins, je m'agaçais un peu de me voir mise au ban de la société et traitée de haut par Paris. Je cherchai un remède et je le trouvai rapidement. Une énorme manifestation était prévue à l'Opéra le 14 juillet, où devait assister tout le gouvernement : le président de la République Jules Grévy, Jules Ferry, Gambetta, etc. ; Mounet-Sully devait y réciter des morceaux patriotiques et Agar, ma chère Agar, avec l'orchestre, entonner *La Marseillaise*.

J'avais très bien connu Agar, si on se le rappelle, au temps de l'Odéon ; je la savais femme passionnée. Je me renseignai, et sus qu'elle était éprise d'un fringant et jeune militaire en garnison en province. La femme de chambre d'Agar, la brune Hortense, avait toujours eu une folle admiration pour moi. Je la rencontrai, comme par hasard, dans sa rue et lui fis part de mon projet; elle battit des mains, se mit à rire et devint ma complice.

Le soir de l'Opéra donc, le 14 juillet, Agar, avant de partir chanter sa *Marseillaise*, reçut un télégramme des mains de sa fidèle Hortense : son soldat de cœur, son petit officier, avait fait une mauvaise chute de cheval, il était aux mains d'un chirurgien, on ne savait pas comment cela tournerait... Ivre d'inquiétude et de passion, la belle Agar laissa tomber sa robe du soir tricolore, mit une pèlerine de voyage à carreaux et partit en fiacre pour Vierzon, Issoire ou je ne sais où. Ce qui fait qu'à l'instant où, après les stances de Mounet-Sully et après les applaudissements d'une foule enfiévrée par tous ces drapeaux, l'enthousiasme patriotique était à son comble, sur la scène de l'Opéra comme dans la salle. Les deux directeurs de l'Opéra, eux, marchaient de long en large en fulminant parce qu'Agar était en retard.

Or, qui virent-ils arriver, tout à coup, vêtue de bleu, de blanc et de rouge des pieds à la tête, les cheveux crêpés et le visage farouche? Moi – la scandaleuse, la dissolue Sarah Bernhardt elle-même! Je les pris par le bras avant qu'ils aient eu le temps de s'indigner et je leur chuchotai : « Agar ne peut venir... Je la remplace et pourtant j'ai plus à perdre que vous! » Ce qui était vrai, car la salle aurait aussi bien pu me huer, étant donné les commentaires de la presse sur ma vie de débauche et mes prétendus échecs d'Amérique. Les deux malheureux en restaient stupéfaits, la bouche ouverte et fort pâles.

– Mais Agar? dit l'un.

– Agar est à Vierzon près de son lieutenant, dis-je. Il est tombé de cheval.

– Mais... mais..., balbutia l'autre.

– Mais... rien! dis-je. Il n'y a pas d'autre solution!...

Je tremblais, pour une fois. L'Opéra est imposant, la salle énorme; et à voir tous ces visages blancs prêts à me huer, j'avais un léger tremblement dans la jambe gauche – qui indiquait chez moi l'émotion. C'est ainsi que Mounet, qui sortait de scène, me découvrit : il écarquilla les yeux mais, sans hésiter, avec son bon cœur habituel, mit un genou en terre et me baisa les mains.

– Tu es superbe! dit-il avec le léger accent du Sud-Ouest qu'il prenait dans les grandes émotions; et son geste acheva de décider les directeurs.

D'ailleurs ils n'avaient pas bien le choix : déjà l'orchestre de l'Opéra, par un long roulement de tambour, annonçait l'hymne national; la salle entière s'était levée et applaudissait d'avance. Alors j'entrai.

J'entrai dans les lumières, devant ce Paris que je connaissais par cœur, ce Paris qui m'avait aimée, conspuée, adorée, vilipendée, regrettée, désirée, etc., ce Paris aux yeux duquel j'étais actuellement la femme la plus célèbre et la plus discréditée. J'entrai à pas lents et je vins à l'avant-scène, les yeux grands ouverts, fixant tout le monde sans regarder personne. Il y eut un moment de silence complet (et vraiment, à ce moment-là, je me sentis le courage même). Le chef d'orchestre, après un instant de stupeur lui aussi, leva sa baguette machinalement : *La Marseillaise* éclata; et je me mis à chanter; je me mis à chanter les mots magiques. « Allons enfants de la patrie [...] »

J'étais en voix, l'air de l'Océan m'avait fortifié les cordes vocales, et j'étais partie instinctivement, aussitôt, au diapason de l'orchestre. Je poussai ma voix, je l'entendis se lever plus vibrante, plus violente, plus pure que jamais; puis se gonfler, éclater, repousser les plafonds, les murs, le lustre de l'Opéra, je la sentis pulvériser les réticences de tous les assistants, s'envoler et les capturer, les enlever au passage. Ma voix, ma voix d'or comme on disait alors, devait en être vraiment puisque la foule entière, électrisée, se leva et se mit à chanter avec moi à gorge déployée. A la fin de l'hymne, j'écartai les bras, ma robe devint un drapeau, dont tous les bleus, les blancs et les

137

rouges se mêlaient, se fondaient et s'enroulaient autour de mon corps comme sur la statue même de la gloire; et la foule (devenue folle) n'arrêtait plus d'applaudir. Ce fut un triomphe, ce fut du délire – Grévy lui-même en semblait ému. Quant à Gambetta, il rugissait tant : « Bravo, Sarah! Bravo, Sarah! » qu'on aurait dit un lion. Deux fois la salle exigea de réentendre *La Marseillaise*, trois fois donc nous la chantâmes ensemble, debout et confondus, en larmes et triomphants. Nous avions oublié Sedan, la Comédie-Française, Marie Colombier, Reischoffen, l'Amérique, Bazaine, etc., nous étions réconciliés, la France, Paris et moi! Ah, ce fut un beau moment!

Il n'empêche; j'avais les genoux qui tremblaient comme des castagnettes en revenant dans les coulisses. J'y retrouvai mes deux froussards de directeurs qui se disputaient déjà, chacun prétendant avoir eu seul l'idée de me faire remplacer Agar!

Ayant donc récupéré ma ville et mon public, je repartis, dès le surlendemain, pour une tournée en Europe aussi interminable, mais plus somptueuse, plus intéressante et plus diverse que l'américaine. Si vous aviez lu les gazettes d'alors, vous auriez appris que j'avais séduit tour à tour Umberto d'Italie, François-Joseph d'Autriche, Alphonse XIII, etc. Que j'avais, enfin, dans chaque capitale de l'Europe, ravagé le cœur et le coffre d'un roi. On m'a trois fois attribué les bijoux de la couronne, ce qui était faux, hélas. Ce qui est vrai, en revanche, c'est que, chaque soir, dans chaque capitale, ma calèche était ramenée jusqu'à mon hôtel par des étudiants qui en avaient dételé les chevaux. Il semble que seul Liszt ait eu, dans ses tournées européennes, le même succès que moi. Et encore, était-ce un homme...

La Russie n'était pas prévue dans mon programme; mais je ne pus y résister. J'enchaînai par ses gigantesques plaines, par ses forêts de bouleaux, par ses sublimes villes – Saint-Pétersbourg, à présent Leningrad, et Moscou. Le tsar y fut exquis. Quant au public russe, il était bien plus cultivé que le public européen en général et avait le français pour seconde langue. Je m'y sentais chez moi. J'étais attendue par des tapis rouges, dans chaque hôtel. Dans les gares, de jeunes officiers suivaient mes traîneaux au galop de leurs chevaux, et se disputaient les fleurs que je leur jetais; chaque jour un train spécial amenait à Saint-Pétersbourg mes clients de Moscou car j'y jouais au palais d'Hiver. C'est là que le tsar vint s'incliner devant moi et me dit, pendant que je commençais ma révérence : « Non, Madame, c'est à moi de m'incliner! » Vous n'imaginez pas le bruit que fit alors cette simple remarque! On croyait alors le tsar en pleine passion avec la princesse Yourevitch. Cela fit un tel bruit que l'on ne me vit plus dans les gazettes parisiennes qu'entourée et protégée par des cosaques au fond de la calèche impériale. Bah! Ce genre de rumeurs font un tel bruit sur l'instant... il n'en reste à la fin rien, même pas un écho; il n'empêche que cela fut drôle à vivre et drôle à répéter. Mais, pour moi, cela signifie quelque chose : une foule qui m'aimait, des rôles où je me donnais à fond pour le plaisir de plaire, des jeunes gens à cheval et des fleurs et une espèce d'élan, un élan artistique et amoureux qui me portait partout, qui me soulevait à travers les frontières, les plaines, les fleuves et qui faisait de moi, de mes trajets, une traînée de poudre. Et je me sentais parfois un météore, un météore bienveillant! Cela doit vous paraître prétentieux mais ce ne l'était pas. En fait, je crois que si je n'avais pas eu la santé de fer que le ciel m'avait donnée – ou plutôt ma mère –, cette espèce de vigueur mentale, nerveuse et physique, j'aurais dû mourir dix fois pendant cette tournée. Mon entourage tombait à genoux, moi je continuais à trépider. La vie était grisante, le sifflement des trains était grisant, et celui des steamers sur les fleuves; et, dans les salles, et dans le noir, le bruit que faisaient ces milliers et ces milliers de mains frappant l'une contre l'autre, le bruit que faisaient ces applaudissements, ce bruit de mer qui saluait mes arrivées et mes départs, le flux et le reflux des bravos, oui, ce bruit-là, je dois le dire, n'était pas le moins envoûtant.

Françoise Sagan à Sarah Bernhardt

C'est vraiment fantastique, comme vie! Avoir connu, à cette époque-là, une des plus intéressantes de l'Histoire, toute l'Europe! Tour à tour l'Italie, la Roumanie, la Pologne, la Russie, la Grèce, l'Europe entière! Vous alliez de ville en ville, de capitale en capitale, de souverain en souverain, de cour en cour, de public en public... Avez-vous eu le temps de voir des gens, de connaître les mœurs, de distinguer les courants de pensée, de comprendre un petit peu ce qui se faisait de si prodigieux en Europe? Et en Russie, avez-vous senti cette espèce de frisson qui devait annoncer quand même la Révolution? Avez-vous pu voir ou entendre autre chose que des rideaux et des bravos? Où était-ce impossible, ce que je concevrais volontiers? Quand vous parlez de Liszt, c'est vrai; c'est vrai que Liszt a eu une réputation et un triomphe en Europe à peu près sans égal, sinon le vôtre, qui le dépassa d'ailleurs! Mais quelle existence incroyable! N'étiez-vous pas fatiguée le soir en vous couchant? N'aviez-vous pas sommeil? N'étiez-vous pas claquée? N'envisagiez-vous pas avec horreur l'idée de vous lever le matin, de refaire vos bagages, de repartir en train pour d'autres villes, une autre chambre d'hôtel, etc., ou était-ce tout le temps délicieux? Cela m'intrigue, je l'avoue. J'ai moi aussi une santé de forcenée et je ne plie les genoux que sous les syncopes ou sous l'ennui. Mais quand même, je me demande comment j'aurais tenu le coup.

Sarah Bernhardt à Françoise Sagan

Ma chère enfant, vous avez dit le mot juste : nous ne plions les genoux que sous les calamités ou sous l'ennui! Or, je n'avais pas le temps de m'ennuyer, croyez-le. En plus de folies, il y avait, tous les soirs, à faire l'effort nécessaire pour conquérir tout un public. J'oubliais les trains puisque je me retrouvais dans le palais de doña Sol, le soir, ou dans le jardin de Marguerite Gautier, deux lieux que, de toute manière, je connaissais par cœur et qui me reposaient, tout en m'exténuant. Et puis j'étais entourée de ma petite famille, de ma troupe, de mes animaux. Non, je ne me sentais pas seule, y compris au milieu de la grande foule. Cela m'égayait, j'étais curieuse de tout. Je ne crois pas avoir vu grand-chose de l'Europe et du développement de ses nations, ni senti les grands courants historiques qui la traversaient, je l'avoue. Enfin, moi, je n'en ai pas eu le temps. J'ai frôlé par-ci, par-là, une âme, une manière de penser, un regard différent, c'est tout. Quant aux princes et aux rois, ils étaient entre eux aussi semblables que peuvent l'être entre eux des bouchers ou des menuisiers, c'est-à-dire parfois complètement opposés, mais avec les mêmes attitudes et les mêmes manières, voilà tout!

Hélas, hélas! C'était trop beau. Il a fallu que je fasse des bêtises, que je mette tout ce décor, toute cette réussite, tout ce triomphe en l'air. C'est qu'il y a un animal en moi indomptable et qui ne supporte pas de marcher longtemps au même pas. Je crois que nous avons ce défaut, d'ailleurs... à en juger par vos lettres...

Laissez-moi vous raconter comment cela se passa, cette stupide histoire, cette rocambolesque histoire. Oubliez un peu la grande Bernhardt, l'immense tragédienne courtisée par tous les maîtres de l'Europe, et revenons à une nommée Sarah, comédienne et femme romanesque qui, à trente-huit ans, s'amourache d'un gigolo de vingt-six. Jacques Damala était considéré comme un bourreau des cœurs, et, de plus, il l'était. Il était très beau. Il avait un visage à la fois jeune et corrompu. Le plus frappant, chez lui, c'était sa bouche : avec une lèvre inférieure pleine et une lèvre supérieure très longue, très arquée en haut et très mobile, nerveuse, une lèvre supérieure qui frémissait sans cesse. On avait tout le temps envie de poser la main sur cette bouche; moins pour la faire taire que pour éviter qu'elle ne vous tente. Car il y avait de la provocation, à force d'innocence et de corruption, dans ce visage trop beau. Damala avait un grain de peau admirable que je n'ai vu qu'aux femmes, une coupe d'yeux, une plantation de cheveux, une arête de nez absolument remarquables. Tout en étant parfaitement viril, il avait une grâce et une intuition féminines; il y avait quelque chose dans ses yeux qui faisait comprendre aux femmes qu'il savait, à l'instant, ce dont elles avaient envie chez lui. Il était tentateur et il était tenté, sans cesse. C'était un homme fait pour les femmes, un homme fait pour en être aimé, même si lui ne s'aimait pas, ce qui produit les pires ravages. Car l'on ne pouvait évoquer ses volontés. On ne pouvait que citer ses dégâts; on ne pouvait pas dire qu'il était méchant, mais il blessait; on ne pouvait pas dire qu'il était sot, mais il faisait des bêtises; on ne pouvait pas dire qu'il était volontaire, il ne faisait que ce qui lui plaisait; on ne pouvait pas dire qu'il était paresseux, mais il ne faisait rien; on ne pouvait pas dire qu'il était doué, mais il ne faisait rien de mal non plus. Jeanne, ma chère sœur, me l'avait présenté avant notre départ en tournée, et je lui avais trouvé ce charme un peu ambigu qu'avaient généralement ses compagnons — et que sa réputation, à mes yeux, rabaissait plutôt. Je n'ai jamais cru aux Don Juan. Néanmoins, quand j'arrivai à Saint-Pétersbourg, je savais qu'il y était; et, depuis quelques jours déjà, l'idée qu'il y serait me remplissait d'un sentiment étrange : comme d'une impression d'attente... Et pourtant je n'étais pas seule. Je voyageais avec Garnier, l'exquis Garnier qui, après Angelo, partageait gaiement et tendrement et la scène et mon lit. Garnier était de plus un très bon comédien, et sa fureur, quand il vit arriver Damala dans ma vie et dans ses rôles, ne pouvait être qu'immense. Je le compris après. Sur le coup, je ne compris que mon désir, que mon bon plaisir, comme d'habitude. J'avoue que je suis fascinée, maintenant, en y réfléchissant, de voir à quel point mes passions pouvaient être aveugles; aveugles aux autres, veux-je dire, et féroces et cruelles, mais rarement irrattrapables, heureusement, en ce qui me concerne.

Damala était grec de naissance et diplomate de carrière. Et c'est à l'ambassade de France en Russie que je le rencontrai pour la deuxième fois. Il me tournait le dos quand j'entrai dans la salle, pourtant je le reconnus au premier coup d'œil, à l'éclat de ses cheveux noirs. Il était sanglé dans son habit et, réellement, il était le plus bel homme que j'aie vu de ma vie; le plus séduisant aussi, pensai-je, quand il se retourna vers moi et me regarda, l'œil brillant. J'avais entendu parler de ses scandales, de ses bonnes fortunes. Il était alors, disait-on, avec les deux filles du prince Rostopchine, deux sœurs, et leur liaison à trois faisait les potins de tout Saint-Pétersbourg. Il les avait toutes deux au bras, et j'eus le temps de les voir l'une et l'autre pâlir également quand il se dégagea de leur bras et vint vers moi. J'étais appuyée sur Garnier qui lui ne bougea pas. Les hommes ont moins d'instinct que les femmes. Du moins sur ce qu'ils peuvent perdre. Et pourtant, ces deux jeunes Russes l'avaient vu, elles; Damala et moi ne nous étions pas dit un mot, nous nous étions à peine regardés, à peine souri, et déjà nous étions parfaitement l'un à l'autre – physiquement en tout cas. Et nous fûmes l'un à l'autre physiquement tout le temps que dura notre histoire.

Damala était l'homme le plus faible et le plus malheureux, peut-être, que j'aie connu de ma vie. Il n'aimait rien de ce qu'il faisait, il n'aimait rien de ce qu'il aurait pu faire non plus. Il aurait pu être nihiliste s'il avait eu la force d'avoir une conviction politique quelconque, mais il ne l'avait pas. Il avait juste celle de satisfaire les femmes et de les faire souffrir, une fois qu'elles tenaient à lui. Enfin, et enfin, pour tout arranger, il se droguait à la morphine. Mais cela, je ne le sus que plus tard; j'aurais dû m'en méfier d'ailleurs, car, en tant qu'ami de ma sœur, il devait avoir aussi ses vices, ou ses habitudes, comme on veut. Et cette habitude-là, Jeanne l'avait depuis déjà cinq ans malgré mes sermons et malgré les fessées que je lui administrais de temps en temps. Je l'avais surprise une fois ou deux, seringue à la main, et je l'avais battue comme plâtre, mais en vain. Je conçois bien, maintenant, que ce n'était pas le remède idéal, qu'il y avait peut-être autre chose à faire. Mais il semble bien que, pour elle non plus, il n'y ait pas eu d'autre solution que cette poudre, ces seringues et ses cachotteries. La drogue me déplaisait comme tout ce qui est secret, qui se cache, qui se trame, qui fuit, tout ce qui est dissimulé, tout ce dont on a honte. Mais Damala, lui, n'avait pas honte; il parlait de sa morphine comme d'une maîtresse supplémentaire – et la plus chérie sans doute. Il ne me cacha jamais rien, ni de son égoïsme, ni de ses goûts, ni de ses infidélités. Il ne me cachait rien et ne s'en excusait pas. Seulement, de temps en temps, il admettait qu'il m'aimait aussi, et, pour ces quelques instants-là, je l'avoue, pendant deux ans, je gâchai le reste de mon existence. Je ne peux pas appeler cela un amour, car un amour, je crois, est une chose qui se partage. « L'amour, c'est ce qui se passe entre des gens qui s'aiment. » Un homme de votre génération a écrit ça, un nommé Roger Vailland. Damala ne m'aimait pas. Et peut-être moi non plus, d'ailleurs, ne l'aimais-je pas. J'avais une passion pour lui, une passion qu'il avait ressentie aussi un moment, plus brièvement que moi. Et là était toute ma faute. Bref, il me fit souffrir affreusement. Je ne m'épargnai aucun ridicule : je fus jalouse, je fus passionnée, je fus stupide, je fus maladroite, je fus ridicule, je fus crédule, je fus pitoyable, je fus tendre, je fus méfiante, je fus tout ce qu'on veut, sauf ce qu'il fallait être, c'est-à-dire indifférente. Je lui donnai tous les rôles de Garnier qui était parti furieux et à bon escient. Il saccagea gaiement tous les rôles que je lui donnai avec une bonne foi parfaite car il aimait la scène comme tout bon Oriental qu'il était. Je ne me rendais pas compte qu'il lisait mal; je le trouvais beau. Je ne me rendais pas compte qu'il se tenait mal; je le trouvais beau. Je ne me rendais pas compte qu'il me faisait du tort; je le trouvais beau. Je ne me rendais même pas compte qu'il me faisait souffrir; je le trouvais beau. Est-ce bête, hein? Dans ma folie, j'allai même jusqu'à l'épouser. Je fis le voyage de Londres en cachette de ma troupe et de ma petite famille pour l'épouser, et je rentrai à Paris avec ce mari nouveau. Dans la stupeur générale, je ne trouvai à dire, je crois, à Petite Dame, à mon fils et à mes amis consternés, que : « N'est-ce pas qu'il est beau? » Cela leur parut un argument un peu mince.

Cela dura un an, deux ans, mais me parut durer dix ans. J'allais de scène en scène, de faillite en faillite, tout allait mal. Je vous passe mes ennuis avec l'Ambigu-Comique, avec tous les théâtres, avec tous les casinos, avec toutes les polices du monde. Je vous passe les camouflets qu'il m'infligea avec des actrices, les insultes qu'il proféra à mon égard en public et en privé, je vous passe tout ce que je supportai. Ah! Quand on a dit que j'étais frigide, mon Dieu, que j'aurais aimé l'être, je l'avoue, à cette époque! J'aurais donné mon bras pour l'être! Mais hélas, je ne l'étais pas et, lorsque j'eus donné ma jambe, ce n'était pas pour la même raison du tout.

Enfin! Enfin! Je parvins à le tromper, par miracle, un beau soir, avec Jean Richepin. On me croira si l'on veut : je suis restée fidèle pendant un an entier, sans aucun écart, à cette demi-épave, à ce trop beau débris. Cette aventure, ce mariage, ce divorce furent désastreux pour moi à tous les points de vue sauf un seul. Je jouai mieux Phèdre après Damala que je ne l'avais jouée avant.

Françoise Sagan à Sarah Bernhardt

Chère Sarah Bernhardt,

Croyez que je vous plains sincèrement. Ce genre de typhon n'est jamais agréable, même dans l'intimité. Alors, commenté, épié et réchauffé par cent personnes, ce doit être un véritable cauchemar. Encore est-ce une chance que vous ayez attendu trente-huit ans pour avoir cette catastrophe dans votre vie; c'est une consolation!

Sarah Bernhardt à Françoise Sagan

Une consolation si on veut! Oui, peut-être... Effectivement, je n'ai jamais été très précoce pour le malheur. J'en tire quelque fierté. Passons à la suite qui est quand même plus amusante, ou plutôt, passons au suivant : Richepin, le poète, celui qui m'arracha à Damala ou, plus, qui m'arracha à ma fidélité. Figurez-vous que, dans ma bêtise, je m'étais jurée d'être fidèle à cet animal qui me trompait, lui, comme dans un bois. Je promenais un silence hiératique et un air de tragédie partout, dans mes appartements comme dans les coulisses. Richepin s'énerva et me viola froidement. C'est là que je me rendis compte que ma fidélité n'était pas si naturelle. Les passions malheureuses vous font croire à la vertu, en tout cas la vôtre, Dieu sait pourquoi! Richepin, donc, n'eut de cesse de me détromper. Il ressemblait beaucoup à Mounet-Sully. Il en avait la force, la vigueur, le côté brun, méditerranéen, viril et en bonne santé. Il écrivait des pièces un peu sottes, un peu ennuyeuses et poétiques dont il indiquait lui-même les moindres nuances avec tout le cabotinage qu'on peut imaginer. Il portait plus de bagues que moi, il bombait le torse; il était amusant, il faut bien le dire, comme on l'est rarement. En plus, il était tendre et follement amoureux de moi, ce qui me changeait agréablement. Je reprenais peu à peu espoir dans ma destinée, d'autant que j'avais rencontré Sardou, l'auteur Sardou, qui, après *Fedora*, pièce russe, me fit jouer *Théodora*, pièce byzantine. Ce furent deux triomphes, et l'arrivée de Byzance dans la société parisienne, l'arrivée aussi d'une Byzance un peu hypothéquée dans mes finances. J'étais revenue au plus bas, bien entendu, après toutes ces sottises; j'avais même confié mon théâtre à mon fils, alors âgé de quinze ans, ce qui avait été une initiative désastreuse, et je m'étais retrouvée au plus bas étage de ma fortune. Grâce à Sardou, je remontai en flèche. Théodora, ses parures, ses bijoux, ses colliers et ses folies, Théodora l'impératrice me remit sur mon trône, mon trône provisoire de comédienne, mais mon trône. Pas pour bien longtemps! Mes dettes s'accumulaient. Mes maisons et mon théâtre n'arrivaient pas à s'équilibrer l'un l'autre. Bref, je dus repartir en tournée, et cette fois en Amérique du Sud. J'avoue que je fus ravie de m'en aller un peu de cette ville, de cette Europe décadente où je venais de prendre camouflet sur camouflet, dans ma vie privée tout au moins. Et je repartis avec ma Petite Dame, naturellement, et suivie de mon Angelo et mon Garnier qui s'entendaient fort bien, plus les quelques survivants de mes tournées précédentes. Il y en avait. Je ne vous parlerai pas de l'Amérique du Sud et de ses triomphes. Disons qu'ils ont la naïveté américaine, le faste américain, alliés aux démonstrations italiennes et aux folies grecques et bulgares. Je tombais des bras de l'empereur du Brésil à ceux du gouverneur du Pérou, puis de celui du Chili et de l'Uruguay, où partout on ne savait que faire pour me faire plaisir. A Panamá, hélas! Angelo et Garnier eurent la fièvre jaune, mais je les en sauvai. Il n'y eut qu'une ombre à cette tournée qui avait été organisée par Jarreth, bien entendu, lequel m'était resté, de loin, fidèle, en tout cas en tant qu'impresario. J'avais compris entre-temps que son silence et son mystère étaient plutôt le fait d'une grande absence intellectuelle et j'avais très peur qu'il ne voulût recommencer avec moi ce duo d'amour qui avait été si charmant la première fois, en Amérique du Nord – mais qui, là, en Amérique du Sud, m'eût paru accablant. Il vit à mon air que je n'étais plus dans les mêmes dispositions d'esprit, sans doute, et fut alors le plus discret, le plus calme, le plus agréable des hommes d'affaires. J'en avais de nouveau conçu pour lui quelque admiration et quelque estime, et je me flattais à présent de l'avoir comme ami et comme soutien dans l'existence, lorsqu'il mourut brusquement d'une crise cardiaque à Montevideo. On l'enterra tristement. Toute la troupe était là, cette troupe un peu folle et couverte d'oripeaux, déformés à force d'être traînés de gare en hôtel et de train en calèche et de bateau en fiacre. Nous avions tous été pris de court par cette mort, nous étions tous décoiffés, dépeignés, échevelés, à demi démaquillés les uns et les autres. Ce fut le plus étrange enterrement que l'on peut imaginer, sous le grand soleil de Montevideo. Jarreth si convenable avec sa jaquette et son air d'homme sérieux était un mort très inattendu dans cette atmosphère de soleil et de carnaval tropical. Pendant que l'on jetait de la terre sur son cercueil, je me souvins brusquement d'un soleil rougeoyant et d'une plate-forme, à l'arrière d'un train redevenu paisible, d'un paysage sauvage et beau, de deux bras autour de moi et d'un parfum incroyable. Je sanglotai, mais intérieurement, et l'on me taxa de froideur sans doute, une fois de plus. Je n'arrive pas à pleurer, je l'ai déjà dit, quand j'ai vraiment du chagrin. Je n'arrive à pleurer avec quelque vraisemblance qu'en scène.

Quatre ans plus tard, je devais enterrer Damala – que j'avais pourtant tout fait pour sauver –, qui mourut de la drogue, dans un hôpital à Paris. Sur sa tombe, si j'eus en public les indispensables larmes, je n'eus pas le dixième du chagrin que j'avais eu en enterrant Jarreth. Et pourtant, je l'avais aimé, Damala; j'avais souffert par lui; et pourtant, je l'avais voulu, désiré et attendu. C'est étrange, comme nos deuils sont indifférents à nos amours. On garde une nostalgie étonnante, et longue, et durable, et cruelle, d'hommes qu'on n'a cru aimer que par caprice, qui vous ont occupé l'esprit une saison et que l'on avait oubliés, croyait-on, depuis toujours... Et quand ils meurent, le cœur se fend... Alors que, un autre, pour qui l'on aurait donné sa vie, meurt, et l'on a envie de bâiller! Ah non! la mort non plus n'est pas fidèle!

Françoise Sagan à Sarah Bernhardt

Je m'excuse de vous interrompre, mais je remarque une bizarrerie dans votre récit : il semblerait que ces années-là, ces huit ou dix années, aient été pour vous une série de voyages, d'amours, mais que, d'un point de vue purement théâtral, il ne se soit rien passé de passionnant (mis à part les complications financières dont vous avez la gentillesse de me faire grâce mais que j'imagine sinon volontiers du moins aisément). N'y avait-il plus rien qui vous passionnât dans votre art ou n'y avait-il plus de pièce qui vous excitât, ou aviez-vous moins de succès? Non, ça, je sais bien que non; vous étiez au faîte de votre gloire. Alors, pourquoi ne parlez-vous pas du théâtre? N'aviez-vous plus ce qu'on appelle grossièrement le « feu sacré »?

Sarah Bernhardt à Françoise Sagan

C'est vrai, je ne vous parle pas du théâtre à cette époque-là parce qu'il était pour moi une source d'ennuis plus que de bonheur. Comment vous dire? Ce n'était pas que les pièces fussent absentes, ou que je m'y ennuyasse le moins du monde : je louais l'Ambigu-Comique, je louais la Renaissance, je naviguais entre l'un et l'autre – je m'y ruinais d'ailleurs; je n'arrêtais pas de travailler, de créer de nouvelles pièces : des pièces de Richepin, des pièces de Sardou, des pièces de Dumas fils, des pièces de Banville! je n'arrêtais pas et j'allais de succès en succès, surtout avec les pièces de Sardou. Mais, bizarrement, bien que ces rôles de femmes, surtout ceux de Sardou, fussent sublimes – Théodora et Fédora et Gismonda étaient des personnages étonnants et incroyables (quant à la Tosca, n'en parlons pas!) – c'était tellement bien arrangé, tellement bien fait, tellement habile de la part de Sardou et, par la suite, de la mienne, que le public ne pouvait pas ne pas suivre; et que je ne faisais qu'ajouter des succès à des succès mais non pas des créations à des créations.

Il me semblait que je n'avançais pas dans ma carrière, intérieurement. Si vous lisez Sardou maintenant, j'imagine que vous rirez ou que vous trouverez cela un peu trop mélodramatique, et c'est possible. Mais à l'époque, c'était cela que les gens aimaient; et que j'aimais aussi! J'avais quand même un vague discernement qui m'a fait d'ailleurs choisir mes amis parmi les écrivains ou les artistes parisiens les plus raffinés et les plus sensibles de l'époque. Mais cela, je vous en parlerai plus tard. Quoi qu'il en soit, si ma soif de succès et de triomphes était comblée, j'avais envie d'autre chose pour moi-même, j'avais envie de difficultés que je ne trouvais pas.

Ma première tentative, et la plus commentée à l'époque, fut Lorenzaccio. Je décidai de jouer Lorenzaccio de Musset, un rôle qui n'avait jamais été joué par une femme. Ce qui fit couler de l'encre comme jamais. C'était un rôle sublime; et j'imagine qu'il l'est resté. J'ai travaillé énormément sur Lorenzaccio; c'était un personnage qui me fascinait et je crois que j'ai réussi un peu, à peu près, à en rendre l'ambiguïté.

Pour une fois, vous péchez par modestie. Laissez-moi vous citer les critiques de l'époque. Jules Lemaître, qui n'était pas un tendre, par exemple : « Dès sa première entrée, sous son pourpoint noir et son teint olivâtre, comme c'était cela ! Et quel air triste, énigmatique, équivoque, languissant, dédaigneux et pourri, elle avait ! Et tout : la surveillance de soi, les brefs frémissements sous le masque de lâcheté, l'insolente et diabolique ironie par où Lorenzaccio se paye des mensonges de son rôle, l'hystérie de la vengeance et les retours de tendresse et les haltes de rêverie. Madame Sarah Bernhardt a royalement payé aux mânes de Musset la dette de Rachel ! »

Je trouve ça pas mal du tout comme critique. J'aurais été assez contente, moi, si j'avais été comédienne, de lire des choses comme ça. Et Bernard Shaw, par exemple, qui n'était pas un homme enthousiaste de nature, il dit de vous : « On lui pardonne l'invraisemblable. Qu'elle nous force ainsi la main va bien avec ce jeu égoïste et enfantin même. Ce n'est pas l'art de vous faire penser plus haut en plus sérieusement, mais l'art de vous faire admirer, avec Sarah Bernhardt, de la défendre, de pleurer, de rire avec elle, de rire de ses plaisanteries, de la suivre, haletants, dans sa bonne et sa mauvaise fortune, de l'applaudir follement quand le rideau se baisse. »

Je trouve ça pas mal, non plus. Avouez ! C'est quand même étrange que ce soit moi qui doive vous citer vos meilleures critiques, comme si je devais vous remonter le moral... Il me semble que vous avez un coup de tristesse, là, ou est-ce que je me trompe ? Je serais désolée si c'était ma demande d'évoquer vos souvenirs qui vous donnait cette mélancolie. Et ce rire incassable dont nous parlions, qu'est-il devenu ?

Ce rire incassable, ma chère, je l'ai toujours eu, Dieu merci! Si j'ai une pointe de mélancolie, là, c'est parce que ce fut en 1895, en rentrant d'Amérique du Sud que je me cognai la jambe dans ce maudit bateau et que je commençai à souffrir de mon genou. Ma vie fut empoisonnée, après, jusqu'à l'amputation, par cette mauvaise blessure, et j'avais parfois du mal à rire. Mais, croyez-moi, j'ai quand même bien ri dans toute cette période de succès et de vie facile. Croyez-moi, j'ai quand même parfois bien apprécié le Tout-Paris, comme on dit – comme on disait déjà alors. Figurez-vous que j'ai vu par exemple arriver dans ma loge, fier comme un paon, sombre, tourmenté, la cravate pauvre, la parole rare, les sourcils froncés et l'air déjà furieux, prêt à me mépriser ou à me haïr, le nommé Leconte de Lisle. Je trouvai instantanément la meilleure tactique : je le fis asseoir, mis la main devant mes lèvres comme pour le supplier de se taire et brandissant le bras, je me mis à réciter ses propres vers. J'ai une mémoire admirable, Dieu merci. Il en faut une pour créer trois pièces gigantesques, croyez-moi, par saison, et je retenais même les pires répliques. Je me lançai donc, avec entrain, et, de ma voix d'airain, ou de cristal, de ma voix d'or, devant ce vieil aigle charmé, je récitai tous les poèmes de lui que je connaissais. Il en tomba fou de moi. Ça, il faut reconnaître – j'imagine que ça n'a pas changé non plus – que les écrivains ne résistent pas longtemps à leur propre prose. Il suffit de la leur réciter pour qu'ils tombent en pâmoison devant vous, en fait devant eux-mêmes!

Montesquiou fut un de mes meilleurs amis. Il était follement drôle, follement doué et follement méchant par moments, je dois l'avouer. Ill était très beau et très vif en 1880, il était même superbe. C'est lui qui me traîna pour que je récite d'ailleurs ses propres vers chez la comtesse Greffulhe qui fut, je crois, la duchesse de Guermantes de Proust; c'est lui qui m'emmena dans des fêtes mondaines, c'est lui qui m'aida souvent à répéter les rôles classiques, et c'est par Quiou-Quiou que je rencontrai Pozzi, D'Annunzio et les Goncourt eux-mêmes. En revanche, ce n'est pas par lui que je rencontrai Jules Renard. Jules Renard était le misanthrope le plus méfiant de la terre et l'homme le plus sauvage et le plus vrai que l'on puisse imaginer. Il vint me voir par hasard, comme on vient voir une sorcière; je n'eus qu'à lui parler naturellement pour que nous tombions aussitôt bons amis. Je l'aimais beaucoup, celui-là. Infiniment plus que d'autres supposés plus brillants.

Françoise Sagan à Sarah Bernhardt

Ce qu'il y a de merveilleux dans votre cas, c'est que vous avez plu à des hommes aussi différents que Jules Renard et que Montesquiou, que Henry James et que Loti, que Proust et que Wilde, que Jean Lorrain et que Lemaître. Des hommes tellement différents, tellement sectaires, tellement passionnés dans leur choix, leur éthique, leurs goûts. Des hommes uniques. Or vous avez absolument séduit chacun d'eux et chacun d'eux a parlé de vous. Il y a un portrait de vous fait par Edmond de Goncourt dans *La Faustin*, qui me plaît beaucoup. Il dit : « Elle avait gardé le pouls précipité d'une vie agissante, remuante, tourbillonnante, qui n'était pas le flottement maladif des femmes du monde mais bien un peu la brillance et le tapage d'un sang qui surent rester de l'enfance, une vie si vivante que sa fréquentation avait je ne sais quoi de capiteux pour les autres et les faisait parlants, causants, spirituels. Et si comme toutes les femmes, elle avait certains jours ses nerfs, et plus violemment que d'autres, c'était de courts accès dont elle sortait bien vite par une folichonnerie. »

Vous avez même séduit des hommes que leur goût ne portait pas beaucoup vers les femmes. Montesquiou, bien sûr, mais c'était un ami. Mais il y eut aussi Oscar Wilde qui disait qu'il aurait pu épouser trois femmes : vous, Lili Langtry et la reine Victoria (la dernière étant une plaisanterie, j'imagine). Vous avez séduit Loti qui, je crois, préférait les marins, mais qui fut fou de vous. Vous avez séduit... Qui n'avez-vous pas séduit? Dites-moi qui vous n'avez pas séduit dans votre époque, cela m'intéresse, à force. Je parle de gens que vous avez vus, bien entendu. C'est comme si une actrice, maintenant, à notre époque, à mon siècle, moins drôle, il faut bien le reconnaître, avait été follement appréciée, admirée, désirée par Sartre, par Anouilh, par Barillet et Grédy, par Beckett, par Malraux, par Duras, par d'Ormesson, par Poirot-Delpech et par Le Clézio. Peut-on vraiment imaginer ça? Je n'ajoute pas et par moi et par Bernard Frank : moi c'est fait et lui je le connais assez bien pour savoir qu'il aurait été, dès le premier abord, subjugué en même temps que Chazot, bien entendu, et Bob. Cela va vous paraître étonnant, ou même prétentieux, mais je vous imagine très bien arrivant chez moi, en Normandie, à Équemauville, avec votre Petite Dame, votre fils et vos amis. Je crois qu'on aurait eu des journées et des soirées pas ennuyeuses du tout, du tout, du tout... Qu'est-ce qu'on aurait ri! C'est étrange : en commençant ce livre, je ne pensais pas un instant que je pourrais rêver de vous voir venir passer le week-end chez moi. Et maintenant, j'en ai vraiment envie!

Sarah Bernhardt à Françoise Sagan

Eh bien, confidence pour confidence, moi aussi! Je serais volontiers venue chez vous; j'adore la Normandie mais je dois reconnaître que je n'ai jamais fait que la traverser, car plus beau que la Normandie, il existe Belle-Ile! Connaissez-vous Belle-Ile? C'est le paradis sur la terre! C'est à peu près à l'époque où nous sommes que j'ai découvert Belle-Ile. Nous en reparlerons plus tard.

154

En attendant, entourée de tous ces admirateurs que vous me prêtez, adulée par la foule, protégée et louée par mille beaux messieurs, suivie par une cohorte de jeunes amants et régnant sur Paris, il me manquait néanmoins quelque chose, quelque chose dans mon métier. J'avais envie d'un auteur qui soulevât le public autrement que par des histoires de femmes fatales, rôle dans lequel j'étais tombée d'autant plus facilement que c'était un personnage nouveau au théâtre et que ça m'amusait donc de le créer, et d'autant plus facilement que je l'étais moi-même aux yeux du public et parfois aux miens. Mais pas dans le même sens : le public me voyait comme une femme dirigeant la fatalité et je me voyais comme une femme succombant à la fatalité. En riant, bien sûr! Toujours en riant. Car il y avait parfois de quoi rire.

Mais j'avais envie d'un nouveau souffle, d'un nouveau vent, je ne sais pas quoi. Je n'arrivais pas à le nommer ni à trouver l'homme qui le créât. Néanmoins il arriva, un beau jour. Il arriva même avant Belle-Ile ce qui va simplifier mon récit et vos notes. Avant de passer à cette phase héroïque et sublime, et avant de quitter cette cohorte, je tiens à vous signaler que si le jeune Loti aimait beaucoup les marins, il aimait beaucoup les femmes, moi en tout cas, et qu'il me le prouva de manière fort convaincante. J'ai toujours trouvé ça agaçant, à propos de Loti comme d'autres d'ailleurs : dès qu'un homme qui aime les femmes se met aussi à aimer les hommes, on ne parle plus que de ses amants et plus jamais de ses maîtresses, même s'il a toujours préféré les premières. Enfin! J'avoue, pour ma part, que si j'avais été un homme, entre les femmes vertueuses qui font des enfants comme un rien et vous obligent au mariage, ou les femmes légères qui ne font pas attention et vous donnent la syphilis, j'avoue que si j'avais été un homme, j'aurais peut-être trouvé plus de sécurité à m'intéresser à mon propre sexe. J'espère que, à présent que le progrès a fait ses preuves, paraît-il, dans votre société, les hommes de plaisir courent moins de dangers.

Françoise Sagan à Sarah Bernhardt

Oh, on ne peut pas dire que ça se soit vraiment arrangé. Il est toujours très difficile de se livrer à l'amour sans avoir des complications diverses. Mais parlons de choses plus gaies. Cette histoire de Marie Colombier, cette amie à vous qui écrivait Sarah Barnum et un livre épouvantable sur votre personne et votre vie, que j'ai feuilleté et qui m'a paru à peu près immonde, cette Marie Colombier, il semble qu'elle vous ait fait du tort ou vous en êtes-vous toujours moquée?

Sarah Bernhardt à Françoise Sagan

Oh, ne me parlez pas de cette Marie Colombier! C'est une de ces amies qui vous prennent vos robes avant qu'elles soient défraîchies et qui essayent de vous prendre en même temps vos amants. Elle n'y parvint pas souvent et en conçut une haine mortelle, d'autant plus que je la dépannai plusieurs fois. La reconnaissance, vous savez, est parfois le début de la haine. Dans son cas c'était vrai. Bref, retour de notre voyage en Amérique, elle écrivit des horreurs. J'eus la bêtise de m'en préoccuper et d'aller chez elle pour la battre avec un fouet, et un couteau je crois. Enfin, une chose ridicule. J'eus surtout la bêtise de signer avec Richepin un livre sur elle qui disait autant d'horreurs, et des horreurs aussi basses. Je ne m'en remets pas. Je m'en veux horriblement d'avoir répondu sur le même ton à un livre aussi vulgaire. Soyez gentille, ne me parlez pas de Marie Colombier. Lisez son livre et relisez-le à satiété si vous y tenez, mais ne me parlez pas d'elle. C'est une des erreurs de mon existence, une faute de goût, et je déteste ça.

Françoise Sagan à Sarah Bernhardt

Mille pardons! Je ne savais pas. Je n'ai pas lu votre livre sur elle, j'ai lu le sien sur vous et cela me suffit. D'ailleurs je ne vous imagine pas écrivant des bassesses. Je vous imagine en revanche assez facilement les signant pour faire plaisir à quelqu'un. Oublions Marie Colombier et parlons de ce grand souffle héroïque que vous évoquiez tout à l'heure et qui vous a redonné le goût du théâtre, enfin qui a satisfait chez vous le goût d'un nouveau théâtre. Qui était-ce?

Sarah Bernhardt à Françoise Sagan

Ce fut Rostand. Je rencontrai Rostand en 1894 et j'étais alors plus proche de la quarantaine que de la trentaine. Ne protestez pas! Je sais parfaitement ce que vous allez me dire et ça ne m'intéresse pas. Je vous répète, et c'est vrai, que j'étais plus proche de la quarantaine que de la trentaine! À partir de maintenant, on ne parle plus de mon âge. Dès l'instant que j'ai eu quarante ans, je n'ai plus parlé de mon âge. Je ne vois aucune raison de changer maintenant, dans ces Mémoires où, après tout, je peux dire ce qu'il me plaît. J'espère que vous aurez la bonne foi d'écrire ce que je vous dis précisément et pas autre chose. Ou alors, je m'arrête tout de suite...

Françoise Sagan à Sarah Bernhardt

Je dirai strictement ce que vous me dites et pas autre chose, je vous le promets. Quant à votre âge en 1894, je n'y pense même pas. Ça ne m'intéresse pas non plus.

Parlons plutôt de Rostand. On se demande beaucoup, encore maintenant, si vous avez eu ou non une aventure avec lui. Personnellement, je crois que non, au risque de vous sembler ridicule. J'ai l'impression que autant sa prose devait vous enthousiasmer et vous exciter – en pensant au public de l'époque – moins cool que nous – autant sa personne ne vous enthousiasmait pas vous-même. Il devait être en effet poétique et cocardier et agité de grands sentiments; et j'ai l'impression que comme les femmes à hommes, vous n'aimez, vous n'appréciez vraiment que les hommes qui parlent peu, ou qui, du moins, parlent à bon escient. Et pas toujours de la Patrie ou de l'Art. Est-ce que je me trompe ou est-ce que je vous attribue, à vous, des reculs ou des bâillements qui me sont personnels?

Sarah Bernhardt à Françoise Sagan

Non, vous ne vous trompez pas; je vous trouve même de plus en plus perspicace. Il semble d'ailleurs que chaque fois que vous vous référez à votre bon sens, vous tombiez sur le mien. D'ailleurs, je n'ai pas envie de parler de Rostand maintenant. Après ce long passage dans les coulisses et dans les alcôves, j'ai envie d'air pur. Je ne sais pas si je vais suivre très exactement le fil chronologique que vous souhaitez, mais je vais vous parler de Belle-Ile d'abord, comme Londres, comme New York. Connaissez-vous Belle-Ile? Je parie que non.

Françoise Sagan à Sarah Bernhardt

Vous pariez que non et vous auriez gagné il y a encore deux mois. Il se trouve que j'y ai passé dix jours à la fin juillet de cette année, dix jours dans une Belle-Ile que je ne connaissais pas et qui m'a enthousiasmée, je l'avoue aussi. Comme je vous comprends. Il y a un côté passéiste sur cette île qui évoque les vacances, la comtesse de Ségur, Zénaïde Fleuriot les pique-niques et les randonnées à bicyclette. Il y a une civilité, chez le touriste, qui est rare au demeurant, et une douceur dans l'air qui vraiment vous rappelle d'autres temps, même à moi qui suis de ce siècle, après tout. Je comprends fort bien que vous ayez aimé Belle-Ile, après le Brésil, après l'Amérique et après cette Europe déchaînée. Comment l'avez-vous découverte? Pour vous dire la vérité, je n'y ai pas été pour recueillir votre souvenir, j'y ai été par hasard, et si j'ai été jusqu'à votre fort et à votre endroit, votre pointe, comme on dit ici, je n'ai rien vu. Des murs cachent toutes les maisons, ou ce qu'il en reste, des murs cachent les endroits où vous avez ri, gambadé, plaisanté, avec vos amis de passage ou de toujours. Et, bizarrement, je n'avais pas envie d'aller plus loin ni de vous chercher dans des lieux existants ni dans des salles à manger ni dans des chambres ni en haut de rochers. Je vous imagine très bien dans l'abstrait et, curieusement, j'ai l'impression que tout ce qui serait réel, tout ce qui resterait de vous dans le sens concret du terme, que ce soit des robes, des objets, des gens qui vous ont connue et que je fuis, bizarrement, comme la peste, depuis que je pense à vous, j'ai l'impression que tout ce qui serait matériel irait à l'encontre de mon imagination et de mon intuition à votre propos – qui, même si elles sont fausses, ou inexactes, doivent retrouver de vous une vérité quelconque, ne serait-ce que par l'affection que peu à peu je vous porte. Je suis passée, à votre propos, de l'ignorance – enfin, l'indifférence – à la curiosité; de la curiosité à l'indulgence, de l'indulgence à l'intérêt, de l'intérêt à la compréhension, et de la compréhension à l'affection. Et je vogue à présent vers l'admiration. Je vous dis cela en toute sincérité, bien entendu, mais sachez que j'en suis ravie. Je n'aurais jamais pu écrire longtemps sur quelqu'un que je n'aime pas de quelque manière que ce soit.

Et moi, croyez-vous que je me serais longtemps confiée à une peste ou à un bas-bleu? Non, non, non! J'ai pris mes renseignements. Il y a quelques amies, autour de moi, dans ce Père-Lachaise, qui vous ont plus ou moins connue et qui sont mortes très jeunes et qui m'entourent et parfois me chantent vos louanges. Ce sont elles que j'ai crues. D'ailleurs vos petites remarques sont plutôt la preuve d'un assez bon tempérament. J'aurais eu moi aussi de l'affection pour vous si je vous avais connue. Évidemment, je n'aurais jamais eu le courage de faire votre biographie, ça je l'avoue, je n'aurais pas eu le temps de m'intéresser à quelqu'un d'autre jusqu'à ma mort. Mais je suis ravie que ce soit vous qui la fassiez et que vous m'aimiez bien. J'ai toujours aimé être aimée, même de loin, et Dieu sait que nous sommes loin.

Revenons à Belle-Ile donc, cela nous rapprochera puisque vous y avez mis le pied ce mois dernier. La première fois que je vis Belle-Ile, je la vis comme un havre, un paradis, un refuge. J'étais exténuée, j'arrivais de Paris, ou d'une tournée quelconque, je ne sais plus; en tout cas de mille drames. N'oubliez pas que si j'ai récité du Racine, je vivais le plus souvent du Feydeau, je ne peux pas vous le cacher. Il m'arrivait souvent, comme mon argent, de rentrer par la porte et de sortir par la fenêtre ou le contraire, et à un rythme encore plus endiablé. J'atteignis un âge qui me parut suffisant pour freiner un peu ces galopades. C'est alors que je tombai sur cet endroit si sauvage et si civilisé, si violent et si doux, qui était Belle-Ile. Je le découvris grâce à Clairin, mon sauveur, mon peintre, mon amant, je n'en suis plus sûre, mais certainement mon meilleur ami. Clairin était un solide gaillard, un peintre mondain et parisien qui avait un certain succès, un grand succès. Il faisait des femmes un portrait assez flatteur pour qu'elles se reconnaissent et assez exact pour que leur entourage les reconnaisse aussi. C'est ainsi que, parmi les milliers de portraits qu'il y a eu de moi, je ne tiens pour juste que celui qui me représente ravissante et allongée sur un canapé. Le célèbre tableau de Sarah Bernhardt par Clairin est en effet le seul qui me rende un petit peu justice. Riez, riez tant que vous voudrez, mais ne me dites pas que vous trouvez ressemblantes les photographies qui vous enlaidissent. Vous en faites une sainte et une martyre mais vous n'êtes plus celle à laquelle j'écrivais au début de ce livre. Bon, bref, Clairin adorait la Bretagne et il nous en rebatit tellement les oreilles que nous finîmes par l'accompagner. Ce n'était pas rien à l'époque; il fallait douze heures de train de Paris à Quiberon et je ne sais combien d'heures de bateau pour aller de Lorient à Belle-Ile. Nous y débarquâmes et montâmes dans une carriole; j'imagine que maintenant c'est bourré d'automédons, de trains et de bateaux à vapeur, mais à l'époque c'était le silence même. Nous fîmes le tour de l'île dans une vieille carriole avec un cheval qui dodelinait de la tête et un cocher qui faisait de même. Belle-Ile a un double visage : sur la mer, il y a des falaises, des rochers, des vagues, des échancrures tragiques, des écumes. Toute une tragédie se joue sur ses rivages, sur ses bords plutôt. Mais à l'intérieur, dès qu'on a passé ses récifs, se déroule la campagne la plus plaisante, la plus souriante, la plus paisible, avec des vallons, des coteaux, des arbres, des champs, des petites maisons tirées au cordeau, des routes souriantes, des bocages, une sorte d'image d'Épinal de la campagne, et cela correspondait exactement à mes deux visages, enfin aux deux visages que je fréquentais de moi-même. Du côté de la mer, quand je me tournais vers elle, c'était la tragédienne Sarah Bernhardt, c'était Racine, c'était les furies, les passions et l'écume que je voyais projetés sous mes yeux, et quand je me retournais vers les terres, c'était la vie souriante, la vie facile, c'était mon propre caractère, c'était ma gaieté, ma manière un peu folâtre de voir les choses, mon souci du bonheur, bref. Bien enten-

du, je ne me formulais pas cela en arrivant à Belle-
Ile, ni en m'y promenant. J'eus une impression de
refuge – et j'avais besoin d'un refuge; peut-être
même Clermont-Ferrand m'aurait-il fait le même
effet. Heureusement, ce refuge-là était, en plus, ravissant. J'y découvris, à l'extrémité la plus venteuse, un
fort, un endroit spécialement inaccessible, spécialement inhabitable, spécialement inconfortable – et qui,
par conséquent, m'enchanta. Je me précipitai aussitôt
pour l'acheter et y parvins. J'ajoute que, malgré
toutes ces épithètes, le fort de Belle-Ile fut un des
endroits les plus exquis de mon existence – et l'un
des plus confortables, moralement parlant. Je crois
surtout que je fus prise, à Belle-Ile, d'un de ces
vertiges d'organisation et de bien-être que les Parisiens de vieille origine, dégoûtés et épuisés par les
trottoirs, les escaliers, les autobus, les embarras et les
incessants va-et-vient qu'ils ont à faire par la ville,
rêvent obscurément d'avoir, depuis toujours. Je
rêvais en effet d'un endroit de plain-pied, de chambres où l'on serait tout de suite comme dans un abri,
de perrons d'où l'on jaillirait dans la nature. Je
rêvais d'une sorte de vie où les choses ne s'interpose-
raient pas entre moi-même et la béatitude. Il faut
avouer qu'à Paris, cela est rare, mis à part quelques
millionnaires qui amènent la nature jusqu'à eux à
grands frais – millionnaires dont je n'avais pas les
moyens (et qui, au demeurant, ne trouvent la paix
nulle part, et surtout pas dans la nature). Comme
bien des citadins, aussi, j'imaginais la campagne
comme un endroit où je marcherais dans des prés au
lieu de galoper dans des rues, où je traînerais dans
mon lit le matin au lieu de m'en arracher comme
une flèche, et où, enfin, je discuterais de choses et
d'autres, profondes, avec mes amis, au lieu d'échan-
ger avec eux des interjections diverses. J'imaginais
aussi, pourquoi pas, qu'à la campagne mes soupirants prendraient trois mois après notre rencontre
avant de m'offrir, au serein, et leur cœur et un
bouquet de violettes – au lieu de m'offrir, comme à

Paris, le surlendemain, un clip de diamants et leur lit. J'exagère, bien sûr. Mes rêveries n'étaient pas si languides, ni la réalité si brutale. Mais enfin, le temps qui me manquait à Paris, j'imaginais que je le trouverais dans cette île. En réalité, je me trompais peu sur Belle-Ile. Si ma bonne santé, mon entrain, ma vigueur maladive (comme disait Quiou-Quiou) m'empêchèrent de m'y reposer vraiment, et me firent au contraire inventer des jeux et des plaisanteries plus stupides et plus agités les uns que les autres – en revanche, pendant les trente ans que j'y allai, j'y trouvai la liberté, le charme, la douceur des vacances que j'avais toujours rêvé d'avoir. J'y allais toujours avec mille amis et je crois que mes plus grands fous rires, mes plus grandes gaietés furent sans doute là, avec les mêmes qui, aujourd'hui sont morts et enterrés. Que nous avons pu rire, mon Dieu, dans cet endroit charmant, poétique et sauvage. Qu'est devenu Belle-Ile à propos? Est-ce resté aussi charmant, aussi tranquille? Ma maison était pratiquement inhabitable de mon temps, alors à présent?... Comme vous le savez, j'ai peut-être eu dix maisons, à Belle-Ile. J'en habitais une, et puis quand elle était trop pleine d'amis ou d'invités divers, je les laissais là et j'allais me blottir dans une autre. J'ai acheté aussi l'immense maison d'un malheureux négociant qui avait eu le front et la sottise de venir s'installer entre moi et je ne sais quel paysage. Je n'ai eu de cesse de l'en déloger. Ce malheureux avait eu quand même la bonne idée d'installer le chauffage central et l'eau courante. Ce fut un délassement, je l'avoue, après ces quelques mois rustiques à courir après un feu de bois ou un seau d'eau chaude. Mais, avant de sacrifier au conformisme et au confort tout court, j'avais eu le temps de dessiner et de faire construire quelques maisons intéressantes à Belle-Ile, toutes groupées autour de celle de Clairin, la première, et du fort. Les avez-vous vues? Non j'imagine. Je crois que j'aurais pu être un assez grand architecte, de même que j'aurais pu être, mais cela est prouvé, un assez grand sculpteur. Il y eut une période de ma vie – j'étais avenue de Villiers – où, excédée des mœurs théâtrales, j'ai failli renoncer à la gloire passagère et superficielle de la comédienne, et me consacrer à une œuvre durable et éternelle, celle du créateur. Je faillis me vouer à la sculpture. Peut-être ai-je eu tort de ne pas le faire. J'ai travaillé longtemps, en blouse blanche, dans les ateliers; j'ai travaillé du matin au soir, durement, j'en avais des cals aux mains, je me blessais souvent les doigts avec les terribles ciseaux du sculpteur et mon maillet. Bien des amis venaient me voir alors, et se taisaient en me regardant, déconcertés par l'ardeur, la sombre ardeur qui s'emparait de moi à ces moments-là. Ah! créer! créer! C'est le rêve absurde et déchirant du comédien.

Françoise Sagan à Sarah Bernhardt

Peut-être, mais en attendant, je vous rappelle que vous avez été, en tant que tragédienne, de vingt-cinq à soixante-dix ans, de votre montée sur les planches jusqu'à l'instant où vous en êtes descendue, trois semaines avant de mourir, vous avez été la personne, la femme la plus célèbre internationalement que l'on puisse imaginer, et que vous l'êtes d'une manière posthume à un point étonnant. Personne n'ignore votre nom, nulle part, dans aucun milieu, dans aucun pays ni à aucun âge. J'ignore si le sculpteur Sarah Bernhardt en aurait fait autant mais je ne connais pas de sculpteur, vivant ou mort, qui ait atteint un instant la renommée de Sarah Bernhardt tragédienne – si nous parlons de gloire, bien entendu. Maintenant, que vous ayez été plus sensible, à ce moment-là, aux louanges ou aux critiques de vos sculptures qu'à ceux ou celles de votre interprétation ne m'étonne pas. On est toujours spécialement vulnérable à l'accueil que l'on fait à vos violons d'Ingres mais, pour avoir un violon d'Ingres, il faut avoir, derrière, un solide pinceau et qui peigne bien! J'ai été, je suis toujours horriblement susceptible quand on me parle de mes chansons. J'ai écrit les paroles de quelques chansonnettes qui n'ont pas marché fort bien, qui ne sont pas devenues des « tubes », comme on dit grossièrement aujourd'hui, et cela m'a rendue très plaintive à ce sujet. J'en sens bien le ridicule, mais je n'y peux rien. Cela dit, il valait mieux, en effet, que ce fût un violon d'Ingres, dans mon cas; et dans le vôtre aussi, finalement, je crois. Si vous aviez dû vivre de vos sculptures et de vos architectures, comme moi de mes chansonnettes, je ne sais pas si nous aurions eu l'occasion de nous rencontrer, même par correspondance, et c'eût été pour moi fort dommage! Alors, Belle-Ile? Continuons sur Belle-Ile un peu. Comment passiez-vous vos vacances? Chacun faisait ce qu'il voulait, allait courir à droite, à gauche, ou chacun dormait tranquillement dans sa chambre? Racontez-moi un peu! Avant de rentrer dans ce Paris torride et sauvage où vous posez votre pied de lionne...

Sarah Bernhardt à Françoise Sagan

Oui, vous avez peut-être raison pour les sculptures! Mais enfin, on peut toujours rêver! Même d'avoir été médiocre quelque part! Belle-Ile? Faire ce qu'on voulait à Belle-Ile? Vous plaisantez? J'avais soumis tout mon petit monde à un emploi du temps rigoureux. Non, je plaisante! Mais il est vrai, je vous l'ai déjà dit, que je jouissais d'une santé implacable, et que, dès l'aube, j'étais debout, courant sur les grèves avec mon fils derrière moi, trois chiens, un serpent boa, et un rhinocéros, que j'avais achetés par-ci, par-là; car ma ménagerie animale n'avait rien à envier à ma ménagerie humaine. Après quoi, nous allions au village, après quoi nous allions déjeuner. Nous étions toujours huit ou dix à ces repas; il y avait le fond — si je peux dire — de la maison : mon fils, la Petite Dame, Clairin, Louise Abbéma, Reynaldo Hahn, plus, bien évidemment, tous ceux qui passaient par-là et qui venaient m'y voir – Édouard VII ou le beau chirurgien Pozzi dont j'avais été follement amoureuse plus tôt. Il y avait Émile Geoffroy – qui n'était rien sinon épris de moi –, il y avait Arthur Meyer – qui était directeur du *Gaulois* et qui se maquillait comme une jeune femme –, il y avait... il y avait... je ne sais plus qui il y avait mais nous nous amusions bien. Et puis, il y avait naturellement tous les gens que j'avais invités au cours de l'année à Paris, dans un moment d'euphorie ou de gaieté, que je voyais brusquement débarquer sur le quai, un beau matin, triomphants, et qui s'annonçaient chez moi à mon grand désespoir et à celui de mes amis épouvantés et furieux. Mais j'imagine que cela a dû vous arriver aussi, si vraiment vous avez une maison de campagne en Normandie? J'ai un excellent stratagème à vous donner (si vous ne l'avez pas déjà utilisé) : c'est une des échappatoires les plus sûres et les plus efficaces – parmi toutes celles que j'ai essayées. Une Anglaise s'annonça un jour chez moi, une nommée Miss Cadogan, l'honorable Miss Cadogan. C'était une vieille demoiselle fort riche et fort snob que j'avais, vraiment par folie, conviée à me retrouver en août dans mes domaines. Clairin, mon cher Clairin, comme d'habitude habillé en pêcheur breton, la pipe à la bouche, fulminait. C'est alors que j'eus cette idée géniale : « Eh bien, dis-je, puisque tu es si fou de colère, sois fou pour de bon. Fais le fou. Dépenaille-toi, mets ta pipe devant derrière et pousse des hurlements. Quant à Maurice, à mon fils, il dira qu'il est chargé de te surveiller, que tu es un cousin aliéné dont je suis obligée de m'occuper pendant les vacances. » Ainsi fut fait. La malheureuse Miss Cadogan, à peine installée avec sa tasse de thé dans un fauteuil, et commençant déjà à profiter de la perspective, sa valise à peine installée dans sa chambre, entendit soudain un hurlement atroce et vit passer au galop un homme habillé en rouge et en noir, avec une fausse barbe et une fourche à la main – car Clairin n'hésitait jamais sur le détail – qui passa en hurlant entre nos chaises. Derrière lui courait Maurice, mon fils, qui criait : « Attrapez-le, voyons! Attrapez-le! Il m'a échappé! Attrapez-le! » Je ne bronchai pas, j'expliquai ce cas pitoyable à Miss Cadogan qui avait reposé sa tasse de thé et semblait soudain privée d'appétit et d'intérêt pour le panorama. La même pantomime endiablée se renouvela deux, trois fois dans l'après-midi, et le lendemain, au petit matin, Miss Cadogan m'annonça qu'elle était navrée, qu'elle avait oublié une réunion importante à Londres pour le lendemain. Elle disparut par le bateau suivant. Évidemment, il faut un certain sang-froid pour cela, mais j'imagine que vous avez suffisamment d'amis à l'air fou pour jouer ça sans trop de difficulté?

Françoise Sagan à Sarah Bernhardt

C'est une fort bonne idée, qu'en effet je n'avais jamais utilisée, celle-là! J'en ai utilisé d'autres, pas mal non plus... Mais pourquoi semblez-vous si sûre que j'aie des amis à l'air fou? Je me demande si cela n'est pas désobligeant? Il est vraiment dommage que vous ne puissiez pas venir à mon délabré mais seigneurial « Manoir du Breuil ». Eh oui, c'est son nom – plus pompeux et plus digne que le reste, il faut bien l'avouer.

Sarah Bernhardt à Françoise Sagan

Le « Manoir du Breuil »? Où est-ce donc, exactement?

Françoise Sagan à Sarah Bernhardt

A Équemauville, par Honfleur. Mais pourquoi cette passion subite pour la précision?

Sarah Bernhardt à Françoise Sagan

Parce que, ma chère, je me suis amusée chez vous avant vous! J'ai fait des bêtises dans votre maison avant que vous ne soyez même née! Ce manoir appartenait à Lucien Guitry: vous l'ignoriez? Eh bien, j'y ai marié, en tant que témoin, Yvonne Printemps et Sacha; Sacha Guitry! J'étais le témoin! Je dormais dans la chambre du 2e, en haut, celle de gauche, et on s'est battus à coups d'oreillers, un matin! J'ai mis des plumes plein votre escalier! Oh, que c'est amusant! J'adore les coïncidences!

Françoise Sagan à Sarah Bernhardt

Ça ne m'étonne pas! Je savais que Lucien Guitry – il existe plein de photos de lui et du manoir, d'ailleurs, ensemble – je savais que Lucien Guitry avait eu cette maison et y passait ses vacances mais je ne vous y avais jamais imaginée! Suis-je bête! Bien sûr, la chambre en haut, au 2e étage à gauche, c'est la mienne! Il y règne, depuis vous, sans doute, encore un air de folie! La nuit, les volets claquent même quand il n'y a pas de vent ou grincent à qui mieux mieux, qu'on y laisse des burettes d'huile ou pas. C'est vous qui y jouez encore! Je penserai à vous chaque fois que les volets feront des leurs. Et c'est vrai que c'est très gai! Moi aussi, je m'y suis battue à coups d'oreillers, un matin, au moment de Noël! Et je m'y suis mariée, aussi, une fois! Mais ce n'est pas ma vie dont il s'agit aujourd'hui, c'est de la vôtre. Revenons à Belle-Île! Il n'importe, je suis ravie de cette histoire.

Sarah Bernhardt à Françoise Sagan

Moi aussi je suis enchantée. Est-ce que la maison est toujours transparente de l'allée? Et les arbres, est-ce que... Bon... Pour en finir avec Belle-Ile, j'y fus très heureuse et j'y fus, d'ailleurs, fort appréciée par les habitants que je bombardais de bouées de sauvetage, de canots, de fêtes de charité, de diverses amabilités qui contribuèrent à me faire nommer la bonne dame de Belle-Ile, comme on nommait George Sand la bonne dame de Nohant. Quand je repense à Belle-Ile, je ne sais pas pourquoi, je revois toujours la même scène. C'est avant le dîner, dans l'heure si belle où le soleil se couche à gauche de la maison; la mer est plate et très bleue et les ombres s'allongent. Nous sommes assis devant les tables de jardin, les hommes en complet de coutil blanc, les femmes dans des robes de gaze claire et sous de grands chapeaux de paille avec des voiles pour éviter le soleil. A dix mètres, dans le pré, les ânes et les chiens gambadent avec des enfants dont mon fils Maurice qui court vers moi. Les hommes à notre table font les farauds et nous les femmes nous rions en les écoutant se vanter de Dieu sait quoi ou commenter le journal en plaisantant. Il fait doux. Il fait beau, nous sommes amis, il ne peut rien nous arriver, rien, sauf le temps bien sûr, mais nous n'y pensons pas.

Cela dit, je suis contente que vous ayez aimé Belle-Ile. Je vous ai dit qu'à l'époque, il fallait prendre le train à la gare le soir à Paris, y dormir douze heures d'affilée et arriver le matin à Quiberon où l'on devait faire encore trois heures de bateau jusqu'au Palais. Les jours de tempête, on ne pouvait ni y parvenir ni la quitter; cela donnait à ces vacances, en plus, un petit parfum de danger qui, comme d'habitude, ne me déplaisait pas. Et pourtant, et pourtant, pendant trente ans j'ai été tous les ans à Belle-Ile, même les dernières années où je souffrais, où je n'avais plus qu'une jambe et où voyager était pratiquement un enfer. Mais si nous nous attardons ainsi dans tous les endroits où j'ai vécu ou que j'ai aimés, vous n'aurez pas fini cette biographie avant d'être vous-même une fort vieille dame. J'ai encore pas mal d'années à vivre, savez-vous, là où nous en sommes? Revenons donc à ce Paris torride et sauvage sur lequel je pose mon pied de lionne. C'est bien cela que vous avez écrit, non, si mes souvenirs sont bons? C'est bien cette phrase-là?

Françoise Sagan à Sarah Bernhardt

C'est cela, c'est cela! Moquez-vous, pour une fois que j'ai un mouvement de lyrisme, pour une fois que j'adopte le ton de votre époque, cela va-t-il m'être reproché?

Sarah Bernhardt à Françoise Sagan

Non! Mais vous voyez que c'est contagieux! Je rentre à Paris donc, pour retrouver le théâtre; et ces années-là, j'y retrouve Edmond Rostand et son poème : *Gelsamina*.

Edmond Rostand était un poète qui ne me plaisait pas et je m'en félicitais. Vous n'imaginez pas comme il peut être pénible pour une femme d'entendre des vers récités par l'auteur ou par le comédien, entre deux étreintes ou au petit déjeuner. Il faut un peu d'air. Edmond Rostand me l'offrit en étant amoureux de sa femme et en ne me désirant pas, ce qui à mon sens le rend un peu équivoque, mais enfin... Il m'apportait *Gelsamina*, il m'apportait une autre pièce qui fut un triomphe à Paris, et enfin il m'apporta *l'Aiglon*. Pourquoi ai-je joué *l'Aiglon* qui a dix-neuf ans, qui est blond, qui est frêle et qui est malheureux. J'en avais quarante à l'époque (bon, d'accord, au bas mot!), je n'étais pas frêle et j'étais rousse comme la vie. Néanmoins, je jouai le rôle, parce que, d'une part, les rôles les plus opposés sont les meilleurs, que, d'autre part, c'est le rôle idéal. Il y avait tout dans *l'Aiglon*. J'imagine que vous l'avez lu, quand même? Il y avait la sentimentalité, il y

170

avait l'héroïsme, il y avait la douleur, il y avait la fierté, il y avait la mélancolie, la nostalgie, il y avait les timbales de la guerre, les tambours de la guerre, il y avait les violons de la nostalgie, il y avait tout, tout, tout, tout! Et pas une femme n'aurait résisté à le jouer, en tout cas pas moi. La France était alors un étrange pays; c'était un pays libre mais où l'on condamnait Dreyfus, un pays patriote mais où l'on s'alliait doucement avec l'Allemagne, un pays ouvert mais où l'on refusait les Tchèques. Je ne sais pas comment vous dire de quoi avait l'air la France à l'époque. Il y avait l'Exposition universelle, il y avait des gens morts de faim, il y avait des drapeaux, il y avait des guenilles, il y avait tout en France, y compris Zola, et Barrès. Je croyais un peu aux deux; je croyais que notre pays était extrêmement fort et je croyais que du fait de sa force, il devait accueillir les faibles. Malheureusement, ce point de vue un peu trop logique échappait aux politiques. Il fallait ou être fort et du coup le rester en s'enfermant sur soi-même, ou accueillir les faibles et du même coup se disperser en ouvrant toutes les portes. Les hommes sont sots, voyez-vous, par moments.

Revenons à nos moutons, enfin nos aigles. Je jouai *l'Aiglon* et ce fut un triomphe sans précédent. Je me voyais avec stupeur évoquer l'Empereur, évoquer la guerre, évoquer la mort, moi qui n'aimais que les hommes, la paix et la vie. Mais j'y arrivais fort bien. Je me voyais évoquer la faiblesse, la nostalgie et la maladie, moi qui n'avais que de la force, des désirs, et une santé insolente. Tout Paris était là ce soir-là, le Tout-Paris cocardier, remué, secoué, agité, battu par la bonne tournure qu'avait pris finalement l'affaire Dreyfus, c'est-à-dire une tournure de justice, et par des remords et des regrets guerriers, l'Alsace et la Lorraine étaient autant d'abcès. Bref, je jouai *l'Aiglon* et j'en fis un jeune homme irrésistiblement malheureux. C'est tout ce que demandait Rostand, c'est tout ce que demandait Paris, c'est tout ce que demandait peut-être le texte lui-même qui n'était pas si fin; bien écrit mais pas si fin. Il me permit en tout cas de quitter ce rôle de femme fatale qui m'agaçait. De femme fatale, je passai à un jeune homme irréprochable. N'est-ce pas déjà un bon saut à faire pour une tragédienne? Je jouai donc *l'Aiglon* à cinquante et quelques années; je jouai ce jeune homme de dix-neuf ans, ce jeune homme qui non sans quelque audace regrettait son père – car au XIXe siècle, au mien, les jeunes orphelins regrettaient leur mère. Au siècle d'avant, ils regrettaient leur père. Cela change tous les siècles, dirait-on. C'est curieux, les orphelins, comme leur nostalgie change de sexe, avant les modes! Remarquez que, généralement, ce sont les fils de quelque noble prince, les nobles bâtards, qui regrettent leur père. Les fils d'ouvriers ou de tapissiers n'y pensent pas un instant. Et d'une manière générale, nobles ou vilains, les enfants regrettent leur mère, au théâtre ou dans les romans. C'est là que mon fils lui-même, Maurice, se distinguait de la foule. Il ne regrettait absolument pas son père. Je finis par le lui présenter un jour où de Ligne entra dans ma loge. Il dîna avec nous, nous regarda beaucoup, moi surtout bien qu'il eût été normal qu'il regardât son fils. Il avait visiblement des regrets; je n'en avais aucun, et Maurice non plus, puisque, lorsque son père lui offrit brusquement de lui rendre son nom et son titre, il refusa avec hauteur :

– Je me suis passé de vous pendant vingt-cinq ans, dit-il à peu près. Je crois que je peux continuer; et quitter le nom sous lequel j'ai été élevé et nourri me paraîtrait de la dernière indélicatesse.

Je lui souris avec tendresse. Mon fils avait, comme ça, alliée à des défauts plus vulgaires comme le jeu, la recherche de l'argent, des plaisirs et une certaine habileté à trouver des finances, mon fils avait une certaine distinction de l'âme qui le faisait se battre pour moi en duel depuis son plus jeune âge, à ma grande peur, et se fâcher dès qu'on disait un mot sur moi – ou sur quelqu'un qu'il aimât. Il était à la fois noble et malin, deux mots qui vont rarement ensemble. Moi en tout cas, il me pillait avec la plus grande tranquillité, le plus grand naturel, puisque j'étais sa mère. Cela me paraissait aussi naturel qu'à lui bien que cela me parût par instants fatigant. Comment en vouloir à un enfant, à un garçon puis à un jeune homme puis à un homme qui mène sa vie en pensant qu'elle dépend de la vôtre, que votre argent est le sien, comme il pensait, petit, que votre lait était le sien? Il y a des hommes qui sont ainsi, nourris, faits pour être nourris toute leur vie. Peut-être, après tout, est-ce la faute de leur éducatrice. J'ai été une fort mauvaise éducatrice, semble-t-il – plutôt, je n'ai pas été une éducatrice du tout. Mon métier, mes amants, mes caprices, mes folies me retenaient loin de lui dès son plus jeune âge, et quand je m'y attachai enfin, quand je revins, c'était peut-être trop tard. Il était habitué à cette maman-oiseau, cette maman-pie comme il disait, cette maman volatile; et il m'aimait à travers un nuage, des bateaux, des trains et des projecteurs. Il n'a jamais vu en moi qu'une déesse, une femme riche, une triomphatrice; il ne m'a jamais vue pleurer sur un sofa, ni démaquillée, ni fatiguée. Il faut dire que je n'y tenais pas. Est-ce un défaut, après tout, de vouloir aussi plaire à son fils? En tout cas c'est un défaut qui coûte cher. Je passai les dernières années de ma vie à payer les dettes et les folies de Maurice. Mais peut-être valait-il mieux que je paye les siennes que celles d'autres jeunes gens moins proches de moi et peut-être moins attachés à moi, puisque moi-même je ne pouvais plus en faire, veux-je dire de dette qui m'amusât.

J'avais donc à moi un théâtre et j'y montais pièce sur pièce avec une vigueur, un enthousiasme, qui ravissaient tout Paris. J'y fis jouer Lucien Guitry qui était un comédien admirable et de Max qui était un fameux coquin, lui aussi admirable. Ce que nous pûmes nous amuser tous trois sur une scène, je ne peux vous le faire comprendre. Il suffisait d'une intonation un peu à côté, d'un clin d'œil, d'un regard, pour que la plaisanterie, l'intention de l'un ou de l'autre soit dévoilée et pour que nous passions la soirée à éviter de rire. Guitry était grand, beau, charmant, distrait, poétique, avec un petit garçon qui s'appelait Sacha et qui avait du talent déjà, à huit ans. De Max, lui, s'habillait comme une femme; il avait des tournures, des accents, des voix de femme, aussi bien que de mâle. De Max était un phénomène étonnant et un merveilleux grand acteur aussi. Je me souviens d'un sombre mélodrame où il devait arriver par le côté, mettre un genou en terre devant moi assise sur un fauteuil, au milieu de la scène, et me dire de profil au public : « Regarde mon sourire. Ne le reconnais-tu pas? » Or, un jour, il arriva carrément par l'avant-scène, remonta toutes les planches en tournant carrément le dos au public, ce qui n'était pas dans ses habitudes, loin de là, mit un genou en terre devant moi étonnée et me dit : « Me voilà! Ne reconnais-tu pas mon sourire? » Et effectivement il sourit, découvrant des dents complètement noircies pendant l'entracte au charbon de bois. Il était hideux. J'en fus malade. Je fus prise d'un rire nerveux que je n'arrivais pas à contrôler, on dut baisser le rideau. Je cite cette plaisanterie-là qui fut l'une de ses plus bénignes, mais entre Guitry et lui, je peux vous dire que ni les répétitions ni les représentations ne se passaient dans le calme. Ce rire incassable dont vous parlez, je faillis le casser pourtant mais par aphonie. Je reçus dans mon théâtre Julia Bartet, Berthe Cerny, Guitry donc et de Max, Jeanne Granier, la Duse et Réjane, bien sûr, la merveilleuse Réjane avec qui je me liai d'une vraie amitié. Elle était si simple, si paisible, si intelligente, si curieuse de tout. Nous jouâmes une seule fois ensemble, dans un drame de Richepin : *la Glu.* Puis vint Coquelin, ma sœur Jeanne et puis Marguerite Moreno. Bref, il en vint mille dans mon théâtre; mille comédiens et mille auteurs. Cela ne m'empêchait pas entre deux nouveautés, de rejouer *Phèdre* ou *Athalie*. Cela seul me remettait face à moi-même, indifférente au décor, indifférente aux comédiens, indifférente à tout ce qui n'était pas ce langage, ces sentiments, et l'espèce d'oubli où je tombais alors de tout ce qui n'était pas Racine.

Et c'est pour Racine, d'ailleurs, que j'acceptai cette Légion d'honneur que l'on se décida enfin à me donner. Mes amis s'étaient aperçus de ce retard plus ou moins scandaleux et en parlèrent au gouvernement de l'époque. J'ignore toujours leur nom. On réunit cinq cents personnes à midi, dans la salle du Zodiaque au Grand Hôtel. En dépit de l'heure, la tenue de soirée était de rigueur. Je m'étais habillée d'une robe blanche toute brodée d'or et garnie de zibeline qui, sans me vanter, n'était pas médiocre. J'arrivai à une tribune, je descendis au milieu des bravos; ce fut mon jour de triomphe, comme on dit. Il y eut des toasts des ministres, du président de la République, de Sardou, de Gabriel Périer, etc. Puis nous allâmes à mon théâtre, à la Renaissance, où un spectacle était à la fois offert et imposé comme une surprise. Je jouai le troisième acte de *Phèdre* et le dernier acte de la *Rome vaincue*. Enfin, le rideau se leva sur une grande scène où je me présentai sous un dais de brocart doré lui aussi, sur un trône fleuri, autour duquel gambadaient de jeunes actrices en costume grec avec des guirlandes de roses. C'était une idée, hélas, de Richepin. Coppée, Madé, Raucourt, Heredia, avaient récité leur hommage et Rostand vint en dernier. C'est de cette journée mémorable, à la fois ridicule et grisante, qui me déplut moins qu'elle ne m'enchanta si je réfléchis bien, c'est de cette soirée que vint le fameux adage à mon sujet : « Reine de l'attitude et Princesse des gestes ». Depuis ce malheureux jour, il n'y eut pas un sonnet où je ne retrouvai pas cette sottise. En tout cas, ce jour-là, assise dans ma belle robe et l'air épanoui, j'écoutais réciter les uns et les autres.

Françoise Sagan à Sarah Bernhardt

Vous dites maintenant que vous en avez ri, que vous avez même pleuré de rire. Mais est-ce que ce n'est pas une sorte de défense contre le côté mélodramatique de la chose? N'étiez-vous pas au fond, profondément, et comme tout le monde d'ailleurs, et normalement après tout, flattée et émue. Il me semble que je l'aurais été. Sincèrement et sérieusement.

Sarah Bernhardt à Françoise Sagan

Peut-être l'auriez-vous été, moi pas. N'oubliez pas ce rire incassable dont vous parlez sans cesse. J'ai peut-être pleuré deux ou trois fois, par fatigue et même par émotion, mais mon esprit est changeant si mon rire ne l'est pas. Je vous le dis, je vous le jure; j'ai pleuré de rire ce jour-là. J'étais malheureusement seule pour ce faire. Vos amis, vos amants, vos plus chers compagnons, vos enfants, vos sœurs, vos parents, tout le monde croit que vous êtes heureuse de vivre certaines circonstances qui les rendraient, eux, heureux. Hélas non! Même la famille ne peut pas comprendre l'indifférence; et l'humour encore moins. Le succès paraît toujours excitant et désirable aux gens qui ne l'ont pas provoqué. Et s'ils l'ont côtoyé par personne interposée, s'ils en ont forcément vu les côtés les plus débiles, les plus minables, pendant des années et des années, le succès leur paraîtra quand même toujours une chose merveilleuse. Ils nous ont vus pleurer de fatigue, d'ennui, ils nous ont vus la main brisée par des poignées de main, ils nous ont vus les yeux rougis par des nuits d'attente, ils nous ont vus au bord de l'évanouissement à force d'être applaudis, ils nous ont vus assommés, engourdis, endormis, indifférents, et ils continuent à trouver cela merveilleux. Pour nous, donc pour eux. C'est incroyable!

Françoise Sagan à Sarah Bernhardt

Ce que vous dites est fort juste, avant, maintenant et après. Je pourrais quand même suggérer un petit adage ravissant et délicat pour cette dernière allusion au succès. Que diriez-vous d'une chose comme : « Même le goinfre dans ses nausées, ventre affamé reste affamé » ? Non ? J'adore ce genre de petit proverbe.

Sarah Bernhardt à Françoise Sagan

Quelle horreur ! Mais quelle horreur ! Mais comment pouvez-nous inventer des sottises pareilles ? Je me demande si je serais vraiment venue à Équemauville, ou plutôt si je n'en serais pas repartie le soir même ? Quelles sont ces stupides plaisanteries ? Vous devriez garder un minimum de sérieux pour aborder la partie triste de ma vie, la partie la moins amusante ; car triste est un mot que je ne saurais trop repousser. J'ai joué encore sept jours avant de mourir. Vous rendez-vous compte ? Et même, pour vous dire jusqu'où j'ai été, j'ai trouvé un dernier Hippolyte, à l'époque où nous sommes arrivées. Un superbe Hippolyte qui provoqua d'ailleurs autant de bruit, de scandale, d'exaspération, de ricanements que mon Damala. Pauvre Damala, que j'avais déjà un peu oublié à l'époque ! Et je n'y aurais jamais pensé, même, je le crains, si de Max, le seul à me tenir tête dans mes théâtres, ne m'avait de temps en temps – quand il était en colère – appelée « veuve Damala », ce qui me faisait mourir de rire et gênait tous les comédiens ; bref, pour en revenir à Télégène, je le rencontrai après une tournée qui avait été extravagante, dans le sens le plus épouvantable du terme, en Amérique. Pauvre Jarreth ! Il n'était plus là et c'était trois imprésarios américains qui avaient organisé cette terrifiante tournée. Je ne peux vous dire ce qui s'y passa. Nous jouâmes dans des cirques, sous des tentes, avec des chapiteaux, on eut des cyclones extraordinaires, on eut des pluies torrentielles qui faisaient claquer les toiles et les mâts. Il y avait des cow-boys qui traînaient partout et qui voulaient absolument nous enlever avec des pistolets. J'ai joué en plein air à San Francisco dans les ruines du tremblement de terre, j'ai joué pour les prisonniers de Saint-Quentin, la nuit de Noël. Tout cela avait été dément sauf à New York où j'avais eu enfin un théâtre et enfin un vrai public. J'avais été aussi en Amérique du Sud. Dieu merci, j'étais accompagnée dans ces périples, soit par mon Reynaldo chéri (Hahn), soit par les uns et les autres. Ils ne me laissaient jamais partir seule. Heureusement, car par moments c'était triste le soir, je dois le reconnaître, même si le décor était pittoresque.

Je rentrais invariablement couverte d'or qu'invariablement Maurice dépensait, avec mon aide, je dois le reconnaître. Je m'étais acheté, je me le rappelle, une Panhard et Levassor superbe à l'époque. Mais tous ces voyages et tous ces retours étaient moins chauds et moins charmants qu'ils ne l'avaient été; non pas à cause de mon âge qui après tout ne changeait rien à rien pour moi, mais à cause de quelqu'un. Je ne vous l'ai pas dit à l'époque où cela s'est passé parce que je n'en avais pas le courage. Il faut bien que je vous le dise un jour. Petite Dame était morte. Ma petite dame était morte. Et cela ne se guérissait pas, ne s'est toujours pas guéri. Je vous l'ai dit : j'étends encore la main, j'étends encore mes vieux os sous la terre pour chercher sa main à elle, cette main si indulgente, si familière, si résignée, si heureuse d'être résignée à mon caractère. Ma petite dame était morte et... d'ailleurs je ne veux pas en parler, ce n'est pas la peine de se faire de la peine bêtement, comme ça, au détour d'un livre. Vous n'avez pas connu Petite Dame, vous ne la connaîtrez pas, vous ne pourrez jamais savoir ce qu'était Petite Dame pour moi. Bref, tout cela pour vous dire que j'avais une nouvelle suivante qui s'appelait Suzanne Célor, une jeune fille bien élevée et fort ennuyeuse, qui m'était dévouée comme on l'est quand on est un peu frustrée et un peu intellectuelle. Elle avait pour moi une passion chaste, Dieu merci – j'y veillais – et elle supportait tout avec un masochisme exemplaire. Deux ou trois fois, je fus honteuse de la bousculer et je m'en excusai. Elle me répondit avec une telle expression que je compris que finalement elle aimait ça, et uniquement ça. J'en conçus pour elle un mélange d'aversion et de pitié qui, un jour de grand vent, me la fit mettre dehors avec une cruauté que pour une fois elle n'apprécia pas, dont elle ne se remit pas, la pauvre! Je ne sais pas si je dois dire la pauvre ou la bienheureuse car elle souffrait avec moi autant qu'elle pouvait espérer souffrir dans toute sa vie. Je ne sais pas comment parler de ces gens-là. Je ne sais pas si on doit s'en vouloir ou si on doit leur en vouloir à eux du temps qu'on a passé à agir contre ses principes et selon ses goûts. Car la méchanceté n'était pas mon fort, que je déployais pourtant avec elle, en lui faisant plaisir, peut-être, mais contre mon gré. Bah! Tout cela doit relever de ce charmant homme, ce Freud que j'ai vu une fois en Allemagne et qui m'avait semblé bien compliqué. Il paraît qu'il fait fureur maintenant. Est-ce vrai? Bien. Donc, cette Suzanne Célor, ma dame d'honneur comme elle le disait elle-même, était là quand je rencontrai Télégène. Télégène était l'amant de De Max. C'est une histoire romanesque qui commence bien mal. De Max l'avait amené dans mon salon, ravi de l'avoir arraché à une prison quelconque où ce garçon se morfondait, une fois de plus; car sa vie passée était agitée, tumultueuse, mi-gigolo, mi-arnarchiste, mi-ceci, mi-cela; Télégène était vraiment l'homme le plus facile à vivre que j'aie jamais connu de ma vie. Bien que la sienne eût été jusque-là rocambolesque. Télégène resta trois ans avec moi (et là, j'avais vraiment passé quarante ans depuis longtemps!). C'était un Casanova. Il écrivit même un livre un peu plus tard, qui s'appelait *Les femmes ont été bonnes.* C'était un livre ridicule mais assez charmant et qui révélait bien son caractère. Télégène était l'homme le plus exquis, le plus doux, le plus facile à vivre, le plus tendre que j'aie vu de ma vie. Il était comme un grand chien, un grand chien un peu dépravé, et doux comme un mouton. Cela fait beaucoup de comparaisons zoologiques mais vraiment on pensait toujours à un animal avec Lou, car il s'appelait Lou. Je fis pourtant tout pour l'arracher à ce stade zoologique. Je le déguisai en Essex, je le déguisai en évêque, tous les rôles jusque-là confiés à des gens connus je les lui confiai, tranquillement, malgré son accent hollandais qui faisait rire tout Paris. Il avait les yeux bleu sombre, le teint clair, les cheveux noirs, il était beau comme on est beau à cet âge-là – et plus. De Max me l'avait présenté comme on présente un objet à quelqu'un qui les collectionne et je dois dire qu'au début je le pris un peu comme cela. Mais sa gentillesse était si désarmante, sa faiblesse si évidente, sa gratitude si complète que je ne pus m'en débarrasser. C'est aussi simple que ça : je ne pus m'en débarrasser! On ne se débarrasse pas de quelqu'un qui est parfaitement gentil, on ne s'en débarrasse jamais! J'avais un teint admirable pour mon âge, la peau lisse, j'avais un corps svelte que j'entretenais comme tel, et vraiment j'étais plus appétissante que beaucoup de mes jeunes premières. Mais néanmoins, j'étais en âge d'être sa mère. Or, je ne surpris jamais chez lui le moindre réflexe, la moindre attitude, le moindre bâillement qui pût me faire supposer que j'avais autre chose que vingt-cinq ans. Cela n'a l'air de rien mais c'est précieux pour une femme qui ne les a plus. Croyez-moi! Je l'emmenai partout. Je lui fis jouer tous les rôles qui correspondaient au mien, tout au moins sur scène. Je le fis rire. Je crois que c'est le grand secret de notre longue, longue intimité, à Lou et à moi : nous riions ensemble, horriblement. Non pas qu'il soit si spirituel, mais il aimait tant rire, il riait si volontiers, il comprenait si bien la plaisanterie, il m'était si reconnaissant, étrangement, de le promener partout derrière moi et riant avec moi. Il m'était si reconnaissant pour la moindre bouchée qu'il mangeait, pour le moindre bout de drap de soie où il dormait, et pour le moindre costume que je lui achetais. Il était si éperdu de contentement, de vivre, simplement de vivre et de rire, que j'aurais aimé lui donner la terre entière, si je l'avais pu. Pouvez-vous comprendre cela? Qu'on donne tout, qu'on sacrifie tout à quelqu'un qui est juste content, en face, et qui vous le prouve? Ou est-ce que j'étais déjà une femme complètement débile ou gâteuse? Du moins, était-ce ce que pensait visiblement ma famille entière, entre mon fils, marié à présent, qui me faisait des scènes de fils noble, entre mes amis qui s'arrachaient les cheveux et entre Paris, qui, à l'unisson, riait à gorge déployée de me voir avec ce jeune homme. « Ah, elle ne changera pas », disait-on à Paris. Même Mirbeau qui osa me demander à quel âge je renoncerais à l'amour; et à qui je répondis sans rire : « Jusqu'à mon dernier souffle! Je vivrai comme j'ai vécu! » Je le pensais, d'ailleurs. Pour en finir avec Lou, ou plutôt pour ne pas en finir avec lui, car je ne sais vraiment pas comment j'aurais pu en finir avec ce garçon, je l'égarai, comme on égare un objet, en Amérique. Je l'oubliai quelque part. Je le perdis dans un appartement ou dans un train, je n'en sais rien. Toujours est-il qu'il resta à New York. Il eut du succès dans quelques films et épousa Géraldine F..., une actrice de l'époque, avec qui il vécut quelque temps. Puis il divorça, tomba dans la drogue, et finit par se suicider. C'est étrange comme la morphine ou les drogues ou l'alcool semblent être les seules maîtresses qui puissent me succéder heureusement auprès des hommes que j'ai un peu aimés ou qui m'ont plu : Damala, Télégène; la drogue. Dans ses Mémoires, avant de mourir, mon petit Lou écrivit : « J'aurais été le plus heureux si j'étais resté auprès d'elle jusqu'à la fin de ma carrière, chaque instant passé avec elle m'apportait ce que le Théâtre avait de meilleur et en pensant à ces quatre curieuses années, mes yeux se remplissent de larmes et mon cœur s'écrie : Madame! Charmante Madame! Je suis si seul sans vous!» Bien sûr, c'est enfantin; bien sûr, c'est ridicule; bien sûr, c'est mélodramatique. Il le pensait. C'est drôle : ce Télégène qui était un gigolo et supposé un homme madré, est le seul homme que j'ai peut-être cru, vraiment, quand il me disait qu'il m'aimait. C'était pour cela aussi que je l'affichais, que j'osais l'afficher. Nous étions en 1912. Est-ce que vous vous rappelez en quelle année je suis née? Moi pas. Et Dieu me garde, mon Télégène, lui non plus, ne le savait.

Françoise Sagan à Sarah Bernhardt

Bien sûr, je comprends très bien l'histoire du beau Télégène. C'est vrai que quelqu'un de gentil, quelqu'un d'heureux peut vous faire tout faire. Je le conçois fort bien. Mais vous accélérez étonnamment les choses, non? Nous sommes déjà en 1912; qu'est-ce qui s'est passé? N'ai-je pas manqué plein de péripéties, qu'avez-vous oublié de me raconter? Je m'égare, j'ai peur que nous décevions ensemble vos admirateurs? Qu'en pensez-vous?

Sarah Bernhardt à Françoise Sagan

Bien sûr j'accélère, bien sûr. Que croyez-vous? Je viens de vous écrire dans ma dernière missive : Ce fut le dernier amant que j'osai afficher. Ce fut mon dernier amant, Dieu merci. Et le reste de ma vie fut, après, tout sauf sentimental. Je ne croyais plus à des aventures, je ne croyais plus qu'il y aurait des années. Et toutes les pièces que je montai à grand fracas et à grands frais le furent avec l'argent que je pouvais arracher à mon cher enfant qui était de plus en plus dépensier. Tout cela me paraissait provisoire et d'ailleurs l'était. Même Belle-Ile où j'allai en 1913, même Belle-Ile me paraissait un peu fantomatique. Bien sûr la vie était drôle, bien sûr il y avait des gens amusants, bien sûr il y avait de bons amis, bien sûr ma petite-fille, Lysiane, la fille de Maurice, était charmante avec moi et me servait de dame de compagnie, bien sûr tout le monde s'occupait de moi et j'étais vénérée, idolâtrée comme peu de femmes le furent à mon âge. Bien sûr tout était possible et facile. Même un amant d'un soir et même parfois, en me redressant sur l'avant-scène, la même vague venue du fond du public me soulevait un peu et réchauffait cette boule dans la gorge dont je vous parlais il y a très longtemps. Mais... mais... mais l'aventure n'était plus possible. Il y en eut une d'aventure, et qui fut atroce, ce fut la guerre de 1914. Je l'appris à Belle-Ile; ce fut Clairin, le bon vieux Clairin qui vint me l'annoncer, le 28 juin. Il faisait chaud. Il faisait horriblement chaud. Il vint nous parler de Sarajevo et nous ne croyions pas à Saravejo. Je voulus rester à Paris, au début de la guerre, dès que tout le monde en partit comme un vol de moineaux et non pas de gerfauts, hélas! J'ai insisté; ce fut Clemenceau lui-même qui vint me demander de partir. Si l'ennemi me prenait, disait-il, ce serait comme s'il prenait *La Joconde*, ou un bien national. Nous allâmes à Arcachon, dans une villa au bord du bassin. Loulou, enfin Louise Abbéma, venait me voir de temps en temps. Elle avait l'air de plus en plus d'un vieux Japonais et de moins en moins d'un vieil amiral. Elle avait toujours eu l'air sans sexe; à présent elle avait l'air sans grade, mais elle était exquise et gentille comme on l'est rarement. Je vous ai parlé rapidement de mon genou, de ma jambe, de mon accident sur le bateau. Depuis, je n'avais cessé de souffrir. Je ne sais pas si vous connaissez la souffrance physique et prolongée, et si vous savez à quel point cela peut vous isoler et même, par moments, casser un peu votre rire. Moi je le savais et je ne supportais plus cela, pas à ce point-là. Personne ne voulait m'opérer. On craignait tout : la mort, bien

entendu, pour commencer. L'opération manquée.
Tous ces médecins, tous ces grands pontes, craignaient de voir leur réputation abîmée. Et ce fut un
petit médecin courageux de Bordeaux, un nommé
Demusset, qui se résigna à m'obéir. Je me fis couper
la jambe le 21 janvier 1915, entourée de toute ma
petite famille qui pleurait à gros sanglots. Je dus
chanter *La Marseillaise* en riant quand on m'emmena
à la salle d'opérations pour leur remonter le moral.
J'avoue que le mien n'était pas très fier. Je pensais,
pour dire la vérité, y rester. Mais non! Ma santé,
mon effrayante santé me ramena au jour avec une
jambe en moins. J'essayai dix appareils de prothèse,
vingt appareils de prothèse, cent appareils de prothèse, tous plus insupportables les uns que les autres et
je me résignai à m'en passer. A l'avenir, je serais
transportée à bras d'homme, où que j'aille. Mais je
remontai sur la scène trois mois plus tard. Je jouai
les Cathédrales. C'était un long poème sur les monuments mutilés par les Allemands. Malgré tout ce
qu'on a pu en dire, je n'eus jamais de béquilles, ni de
petite voiture. Je me fis faire un fauteuil étroit avec
des brancards et où on me transportait. J'avais mal,
je souffrais et je serrais les dents. Il arriva même que
l'on m'oubliât dans les coulisses, derrière un rideau.
Et que ma petite-fille fût épouvantée de m'entendre
dire simplement : « Merde, merde, merde, merde! »
Que dire d'autre en cas de catastrophe sinon « Merde, merde! » Que dire d'autre? Elle trouvait ça trivial
et vous savez comme moi que ces jurons sont les
seuls qui vous soulagent quand on est seul, désespéré
de l'être, et qu'on souffre... Oh, mais parlons d'autre
chose! Tout cela est sinistre. Je fis une tournée aux
armées, triomphale. Les soldats m'adoraient. Je bus
du vin au casque des pioupious, couverte de peaux
de léopards, de diadèmes, de diamants, car je sentais
que ces pauvres garçons rêvaient plus d'une vamp
que d'une vraie marraine avec un voile bleu. Je crois
que je n'eus pas tort si j'en juge par les lettres qu'ils
m'écrivirent. De toute manière, même si je leur fai-

sais un étrange effet, entortillée dans mes pansements, mes léopards et mes bijoux, au bord de leurs tranchées, si je leur paraissais un objet d'un autre âge, quelque cataclysme naturel arrivé en plus des os au bord de leurs cantines, ils étaient tous ranimés quand je leur chantais *La Marseillaise*. J'avais toujours ma voix et ma voix couvrait parfois le bruit des armes, des canons. Là-dessus on se rendit compte, au très haut, de la propagande que je pouvais faire à l'étranger. J'allai à Londres fêtée par de jeunes soldats, puis je fus aux États-Unis avec ma tête, mes deux bras et ma jambe. J'y restai dix-huit mois, clopinant de ville en ville, remplissant de dollars mes vieux sacs de chamois. A chaque gare, je chantais *La Madelon, Tipperary* et naturellement *La Marseillaise*. Quand je rentrai à Paris, après la victoire, je trouvai la maison sens dessus dessous. Maurice avait fait quelques dettes, et l'argent de ma tournée y passa. Cela m'était complètement égal. Je devais être indignée comme le furent tous mes amis, comme le fut tout le monde, mais cela m'était complètement égal. Je n'avais pas besoin d'argent. J'avais besoin de faire de l'argent, j'avais besoin de m'agiter. J'écrivis des romans, je jouai des pièces, je fis même une tournée en Angleterre où je souffris le martyre, et où la reine eut la gentillesse de me soutenir de son amitié. Puis je rentrai boulevard Pereire. Après, le temps passa sans passer. Je fis une tournée en Espagne, je jouai des pièces de mon petit-fils par alliance, le jeune Verneuil, que ma petite-fille Lysiane adorait et qui en profitait pour se servir de moi, comme si je ne l'avais pas su, comme si ces fours que je jouais par bonté d'âme étaient autre chose que des fours. En automne 1922, je retrouvai des chers amis, les trois Guitry, Lucien, Sacha et Yvonne Printemps. Je fus leur témoin et Sacha écrivit un sujet de roman. Je l'appris avec passion, pour une fois; à la répétition j'eus une longue syncope et je ne pus plus jouer. J'étais désespérée. Pour la première fois de ma vie j'étais vraiment désespérée, je ne riais plus. Je restai trois mois dans mon lit, trois mois interminables, les derniers. J'étudiai *Rodogune*, j'étudiai la pièce d'Edmond Rostand, la dernière, *le Sphinx*. Je faisais des projets, mille projets. Je fis même un début de cinéma : *la Voyante*, d'après Sacha Guitry, dont on fit les prises de vues chez moi, dans mon appartement. J'étais assise, violemment maquillée, dans un fauteuil. Je jouais aux cartes et c'est là que je vis les cartes se brouiller et tout devenir noir, que je tombai dans le coma. Connaissez-vous le coma, cette jolie province ? Si c'est vraiment cela la mort, ce n'est pas grave, me disais-je en me réveillant. Ce noir, cette insensibilité, cette absence de quoi que ce soit.

Françoise Sagan à Sarah Bernhardt

Oui je connais le coma. Je l'ai même connu deux ou trois fois. Non je n'ai pas peur de la mort car je sais que c'est tout noir comme vous dites – et rien. Il me désespère quand même que vous vous en alliez si vite. Ne peut-on freiner cette époque ? Je suis désespérée de vous quitter. Est-ce sot de ma part !

Sarah Bernhardt à Françoise Sagan

Mais non ! Mais non ! Il ne faut pas freiner ni ralentir. Pourquoi vous raconterais-je les années où je n'étais plus moi-même ? Où je n'avais plus ni amant, ni deux jambes, ni ma liberté, ni mon talent ? J'avais toujours ce rire incassable. N'est-ce pas le principal ? Bien. Finissons-en vite. Après ce coma je repris connaissance quelques heures, le temps de réunir ma petite famille, Louise Abbéma qui était dans tous ses états, et je vis arriver le curé avec cet enfant de chœur louchon dont je vous ai parlé. Je l'écoutai avec sympathie et le fou rire, je vous l'ai dit, et je quittai tout ce beau monde au milieu de la soirée, à 8 heures du soir. Je vous passe mon enterrement qui

186

fut, paraît-il, absolument national bien que mes obsèques ne l'eussent pas été, ce gouvernement n'étant pas mieux que les autres.

Depuis donc, comme vous le savez à présent, j'attends au Père-Lachaise que mon temps sur la terre soit remplacé par mon temps sous la terre. Grâce à vous, j'ai passé quelques mois assez amusants. Je vous en remercie. Et vous-même, ne vous ai-je pas trop ennuyée? Avez-vous bien ri quelquefois avec moi? C'est tout ce que je voudrais savoir.

Françoise Sagan à Sarah Bernhardt

Non, décidément, je n'arrive pas à me faire à cette idée de vous quitter. Quel malheur! Quel ennui! Bien sûr que j'ai beaucoup ri avec vous! Voyez-vous, j'espère que vous serez toujours sous la terre avec du temps quand on m'y mettra moi-même. Peut-on communiquer d'une tombe à l'autre, ou est-ce interdit, ou est-ce difficile? Y a-t-il des douaniers pour les souvenirs?

Sarah Bernhardt à Françoise Sagan

Il n'y a pas de douane. Nulle part. La vie est grande et libre et drôle. La vie est étonnante. Il y a du vent, il y a des larmes, il y a des baisers, il y a des folies, il y a des envies, il y a des remords. La vie est... est loin. Mais la vie fut fort près. Je vous la conseille vivement encore. Et puis surtout, croyez-moi, croyez-moi, si vous en êtes capable, riez! Riez beaucoup parce que vraiment, s'il y a un don qui soit plus précieux que tous les autres, c'est bien celui-là: un rire incassable...

Achevé d'imprimer en avril 1989
sur les presses de l'Imprimerie Bussière
à Saint-Amand (Cher)

PRESSES POCKET - 8, rue Garancière - 75285 Paris
Tél. : 46-34-12-80

— N° d'imp. 7949. —
Dépôt légal : avril 1989.

Imprimé en France